D1277667

Robert Ornstein/Richard Thompson

L'incroyable aventure du CERVEAU

Illustrations de David Macaulay

Traduit de l'américain par le Dr François-Xavier Roux

InterÉditions
87 AVENUE DU MAINE 75014 PARIS

L'édition originale de cet ouvrage a été publiée aux États-Unis par Houghton Mifflin Company, Boston, sous le titre *The Amazing Brain.* Texte © 1984 by Robert Ornstein et Richard F. Thompson ; illustrations © 1984 by David A. Macaulay.

ISBN 2-7296-0142-2

TABLE DES MATIÈRES

DEUXIÈME PARTIE
Le cerveau, l'intelligence et la mémoire

PRÉFACE

DEPUIS DES MILLÉNAIRES, les hommes ont cherché à comprendre ce qu'était le cerveau. Les anciens Grecs imaginaient qu'il était une sorte de réfrigérateur refroidissant le sang. Au cours du XXe siècle, il a été successivement comparé à une console de commandes, à un ordinateur, à un hologramme ; il est d'ailleurs certain que d'autres comparaisons surgiront au fur et à mesure des découvertes futures et des inventions à venir. Cependant, aucune de ces analogies ne peut être satisfaisante, car le cerveau est unique dans l'Univers et reste différent de tout ce que l'homme a jamais pu fabriquer.

Les dernières décennies ont vu se réaliser d'importants progrès dans les différents axes de recherche sur le cerveau. La phylogénèse nous a appris quand et comment les diverses régions du cerveau ont été « construites ». Grâce à la neuro-anatomie, nous savons comment les éléments constitutifs du cerveau sont assemblés ; grâce à la neurophysiologie, nous commençons à saisir les relations existant entre ces éléments et les médiateurs chimiques. Nous commençons donc à comprendre « qui » est notre cerveau ; mais beaucoup reste encore à découvrir.

Le cerveau est comme une vieille maison qui semble avoir été rafistolée au cours des années de façon plus ou moins désordonnée. Dans ce livre, nous nous intéresserons à l'architecture de cette maison, tout d'abord en en visitant les différentes pièces d'habitation, puis en pénétrant de plus en plus profondément au sein des matériaux qui ont été utilisés pour bâtir ces pièces. Nous envisagerons quelques-uns des mystères qui hantent cette demeure et président à l'expérience humaine. Les dessins et schémas de cet ouvrage doivent permettre de mieux comprendre certains des aspects les plus complexes de cet organe extraordinaire qu'est le cerveau humain.

UN JARDIN EXTRAORDINAIRE

L'histoire romancée
de l'évolution du cerveau
à l'aide de schémas
anatomiques circonstanciés

Le tronc cérébral

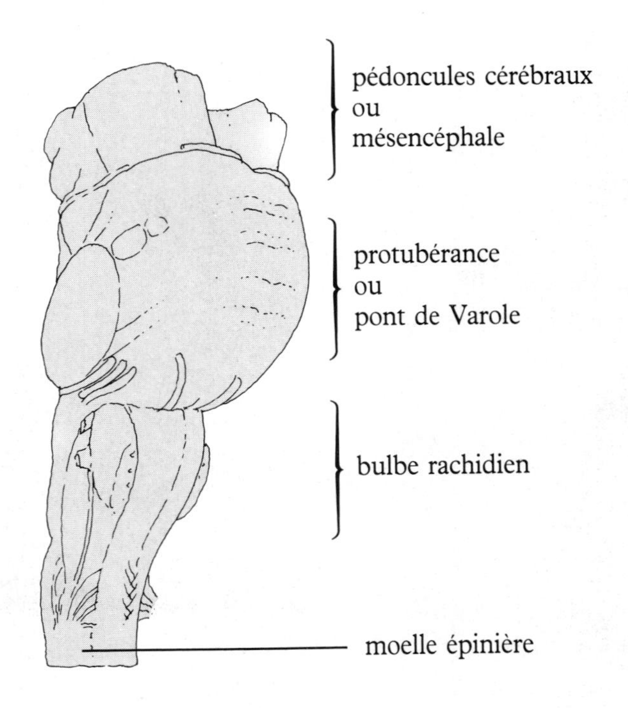

C'est la partie la plus ancienne du cerveau. Il s'est développé il y a plus de cinq cents millions d'années. Parce qu'il ressemble à l'encéphale d'un reptile, il est souvent appelé cerveau reptilien. Il détermine le niveau général de vigilance et transmet à l'organisme toutes les données importantes venant de l'extérieur, tout en régulant les fonctions de base nécessaires à la survie, telles que la respiration et le rythme cardiaque.

Le cervelet

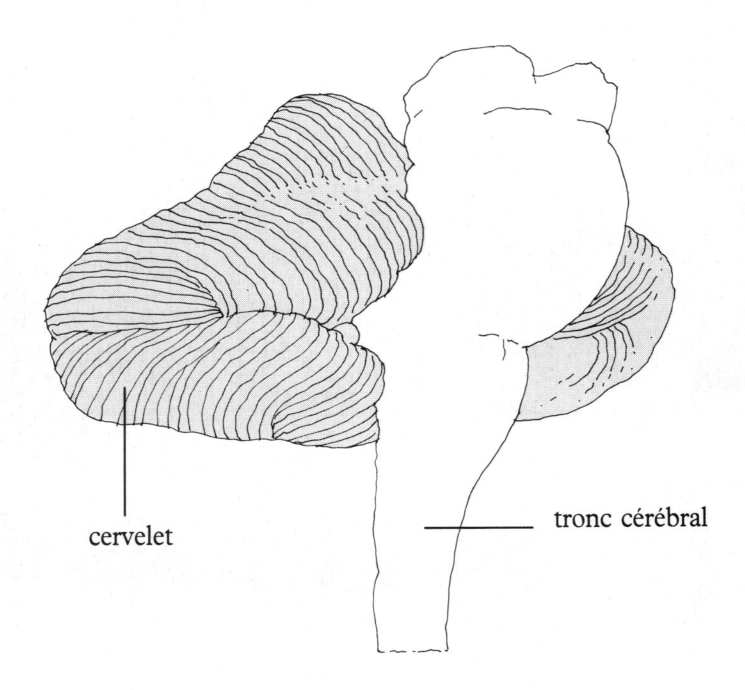

Le cervelet, ou « petite cervelle », est accroché à la face postérieure du tronc cérébral. Entre autres fonctions, il maintient et ajuste la posture et coordonne les mouvements. L'importance de ces fonctions est évidente lorsqu'on se rend compte que le volume du cervelet humain a plus que triplé au cours du dernier million d'années. Il apparaît maintenant que la mémorisation de certaines réactions simples acquises par apprentissage pourrait être emmagasinée à ce niveau.

Le système limbique

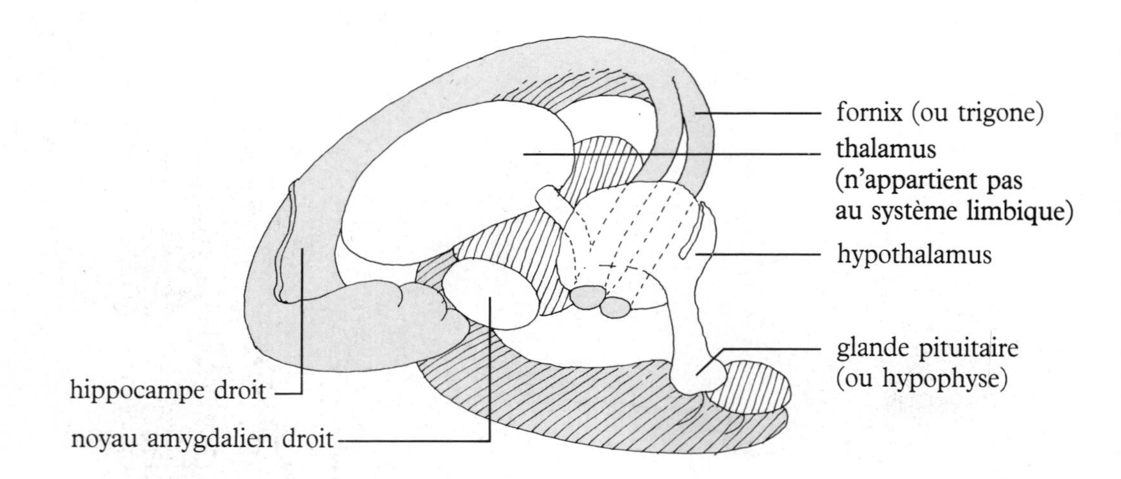

C'est un assemblage de structures cellulaires situé entre le tronc cérébral et le cortex. Il est apparu il y a deux à trois millions d'années. Parce qu'il est particulièrement développé chez les mammifères, il est souvent appelé cerveau mammifère. Outre son rôle de régulateur de la température corporelle, de la pression artérielle, du rythme cardiaque et de la glycémie, le système limbique a un rôle fondamental dans l'organisation des réactions émotionnelles qui régissent le comportement.

Deux éléments clés de ce système sont d'une part l'hypothalamus (situé sous le thalamus), et d'autre part l'hypophyse (ou glande pituitaire). Bien qu'il ne soit pas plus gros qu'un petit pois, c'est l'hypothalamus qui régit le comportement alimentaire, la faim et la soif, le sommeil et l'éveil, la température corporelle, l'homéostasie et bien d'autres fonctions de l'organisme. Grâce à un système de messages électriques et chimiques, il contrôle l'hypophyse qui est la principale glande de l'organisme.

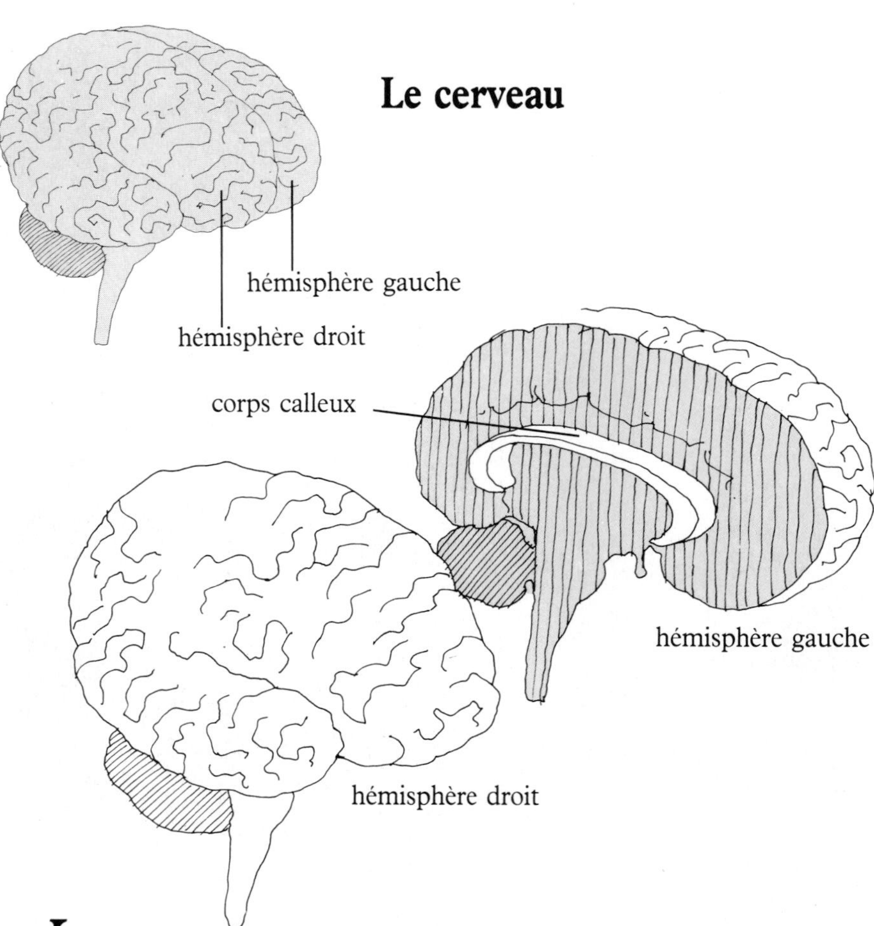

La plus grande partie de l'encéphale de l'homme est le cerveau. Il est formé de deux moitiés appelées hémisphères cérébraux ; chacun d'eux contrôle la moitié du corps située du côté qui lui est opposé. Les hémisphères cérébraux sont liés entre eux par un faisceau de quelque trois millions de fibres nerveuses : le corps calleux. Chaque hémisphère est recouvert d'une couche de cellules nerveuses étroitement imbriquées, formant de nombreux replis, d'une épaisseur de l'ordre de trois millimètres : c'est l'écorce cérébrale ou cortex. Le cortex cérébral est apparu chez nos ancêtres il y a à peu près deux millions d'années ; c'est lui qui nous rend spécifiquement humains. Grâce à lui, nous sommes capables d'organiser, de mémoriser, de communiquer, de comprendre, de juger et de créer.

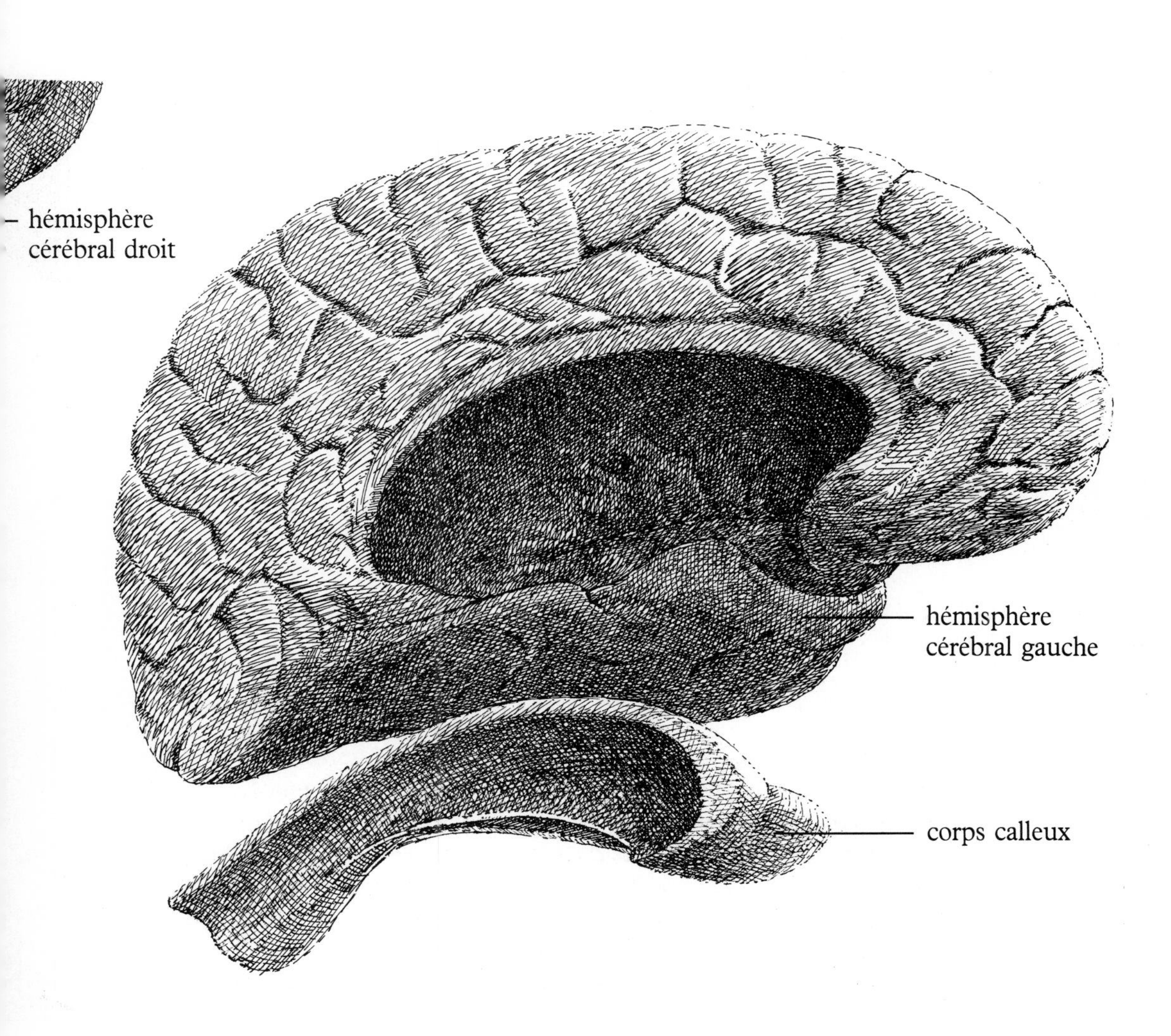
hémisphère
cérébral droit
hémisphère
cérébral gauche
corps calleux

Les lobes cérébraux

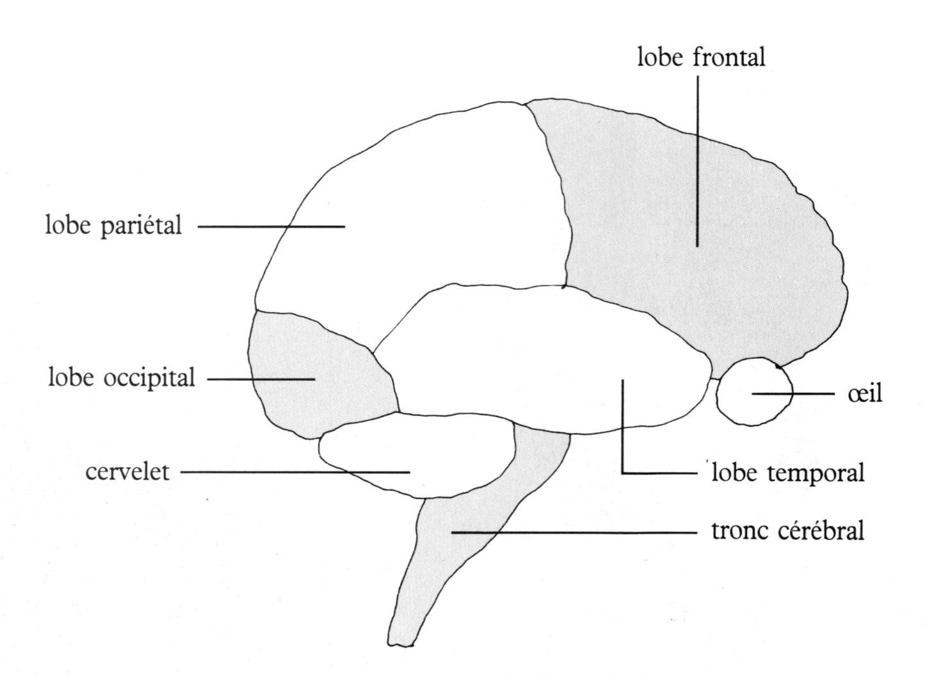

Le cortex de chaque hémisphère est divisé en quatre régions appelées lobes. Le lobe frontal est impliqué essentiellement dans les processus de prévision, de décision et d'action préméditée. Le lobe pariétal centralise l'image du corps ; il regroupe un certain nombre d'informations sensorielles venant des différentes régions de l'organisme. Une partie du lobe occipital est affectée à la vision, d'où son appellation fréquente de cortex visuel. Le lobe temporal semble être le siège de plusieurs fonctions importantes, telles que l'intégration de l'audition, de la mémoire et du langage.

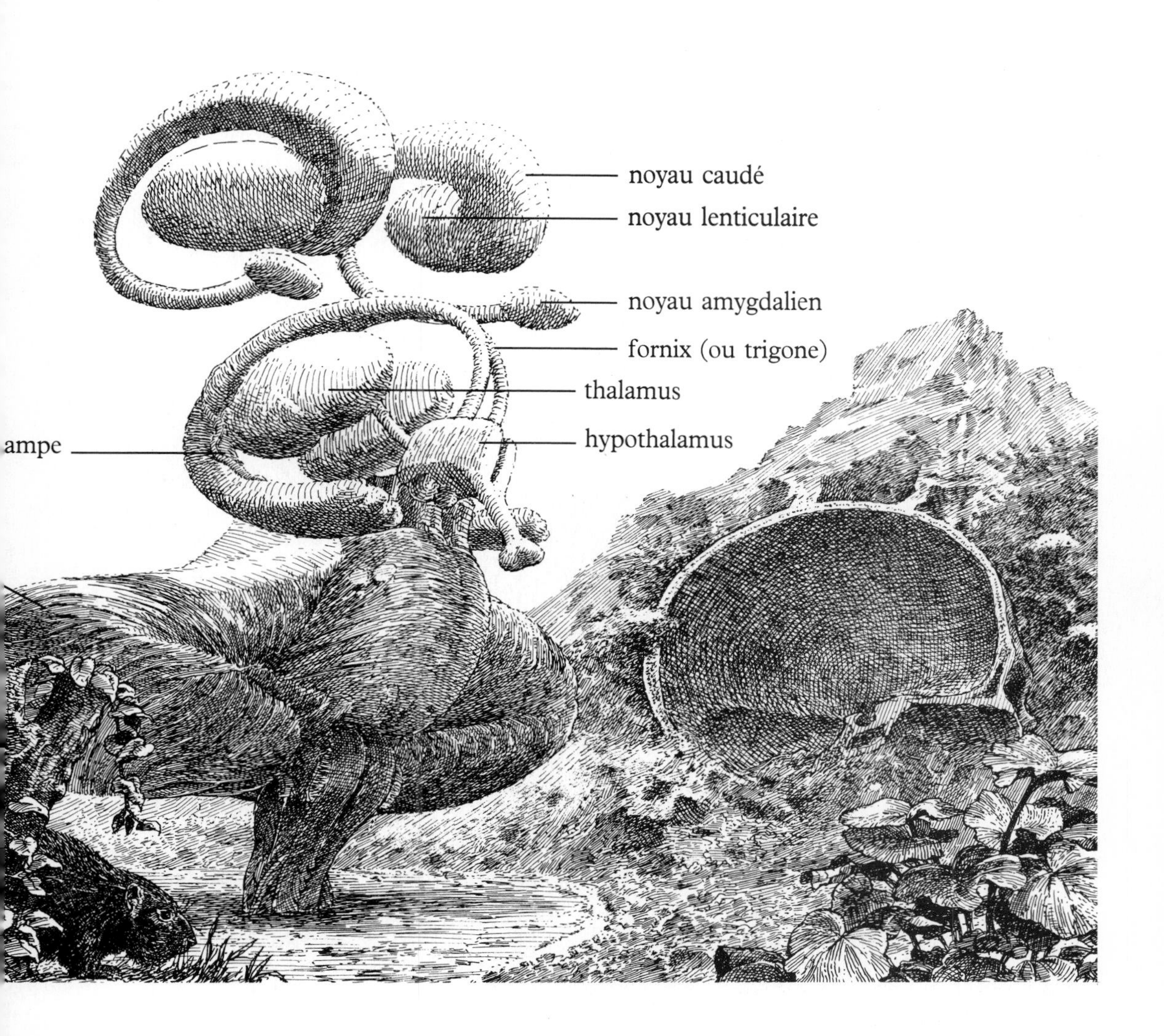
noyau caudé
noyau lenticulaire
noyau amygdalien
fornix (ou trigone)
thalamus
hypothalamus
ampe

WANDELAAR
ET NETTER

Première partie

Le cerveau démonté : pièces, colonnes, briques et substances chimiques

1

L'ARCHITECTURE CÉRÉBRALE

LE CERVEAU A APPROXIMATIVEMENT la taille d'un pamplemousse. Il pèse presque autant qu'un chou. Il est le seul organe qu'on ne peut pas transplanter.

L'encéphale régule toutes les fonctions de l'organisme ; il contrôle nos comportements les plus primitifs : appétit, sommeil, chaleur corporelle ; il est responsable de nos activités les plus sophistiquées : développement d'une civilisation, créativité musicale, artistique et scientifique, utilisation du langage. Tous nos espoirs, toutes nos pensées, nos émotions et notre personnalité sont enfouis quelque part en son sein. Après des siècles d'étude par des milliers de savants, un seul adjectif permet de le définir : *extraordinaire.*

Il y a dans l'encéphale environ cent milliards de neurones, ou cellules nerveuses, et dans un seul cerveau humain, le nombre de connexions entre ces cellules est *supérieur au nombre d'atomes présents dans l'Univers.*

Le cerveau ne nous dévoilera peut-être pas tous ses mystères, mais nous en connaissons déjà beaucoup. Nous savons un peu de quoi il est constitué, ce qu'il fait et comment il fonctionne.

Voici un moyen pour vous aider à le visualiser : placez vos doigts de part et d'autre de votre tête, sous les oreilles. Au centre de cet espace, entre vos mains, vous trouverez la partie la plus ancienne de l'encéphale : le tronc cérébral. Fermez maintenant les poings ; chacun d'eux a à peu près la taille d'un hémisphère cérébral ; lorsqu'ils sont l'un contre l'autre, ils schématisent assez bien le cerveau dont ils

Le système nerveux du ver de terre

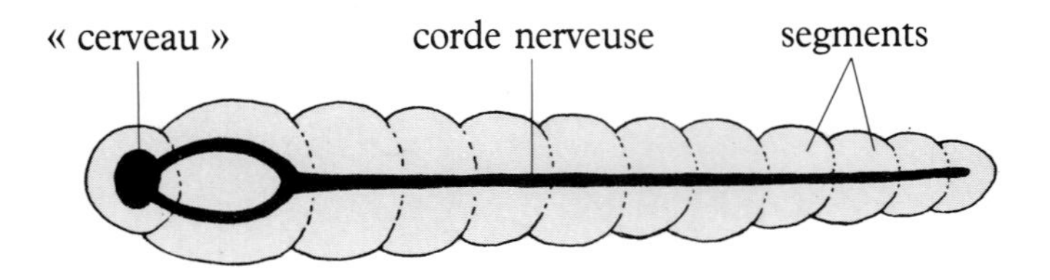

Le plan de base du système nerveux humain se retrouve chez les animaux qui ont une symétrie transversale, même les plus primitifs comme le ver de terre.

Le corps de ces animaux est segmenté. Chaque segment contient des faisceaux de fibres nerveuses qui transmettent l'information venant des récepteurs cellulaires cutanés à un groupe de cellules ; celles-ci à leur tour renvoient l'information vers la périphérie afin de contrôler l'action des muscles. Les divers groupes de cellules nerveuses, appelés noyaux ou ganglions, communiquent entre eux par l'intermédiaire de larges faisceaux de fibres nerveuses remontant et descendant l'axe du corps, formant ce qu'on appelle la corde (ou moelle) nerveuse. Lorsque les premiers vertébrés sont apparus, issus de leurs ancêtres invertébrés, la moelle nerveuse a été recouverte d'une gaine osseuse formée par les vertèbres : la moelle nerveuse est alors devenue moelle épinière.

Bien que le corps humain n'apparaisse pas segmenté, la moelle épinière de l'homme l'est cependant, tout au moins sur le plan fonctionnel. Elle est en effet formée de nombreux segments ; chacun d'entre eux reçoit des informations venant d'une région bien définie de la peau et contrôle les muscles sous-jacents à cette zone cutanée. Le système nerveux des vertébrés les plus primitifs n'est qu'une moelle épinière dont l'extrémité antérieure est légèrement renflée. Ce qui, dans la « tête » du ver de terre, n'est qu'un petit groupe de cellules triant les informations concernant le goût et la lumière, est devenu, chez nous autres humains, cette structure si incroyablement complexe et sophistiquée qu'est le cerveau.

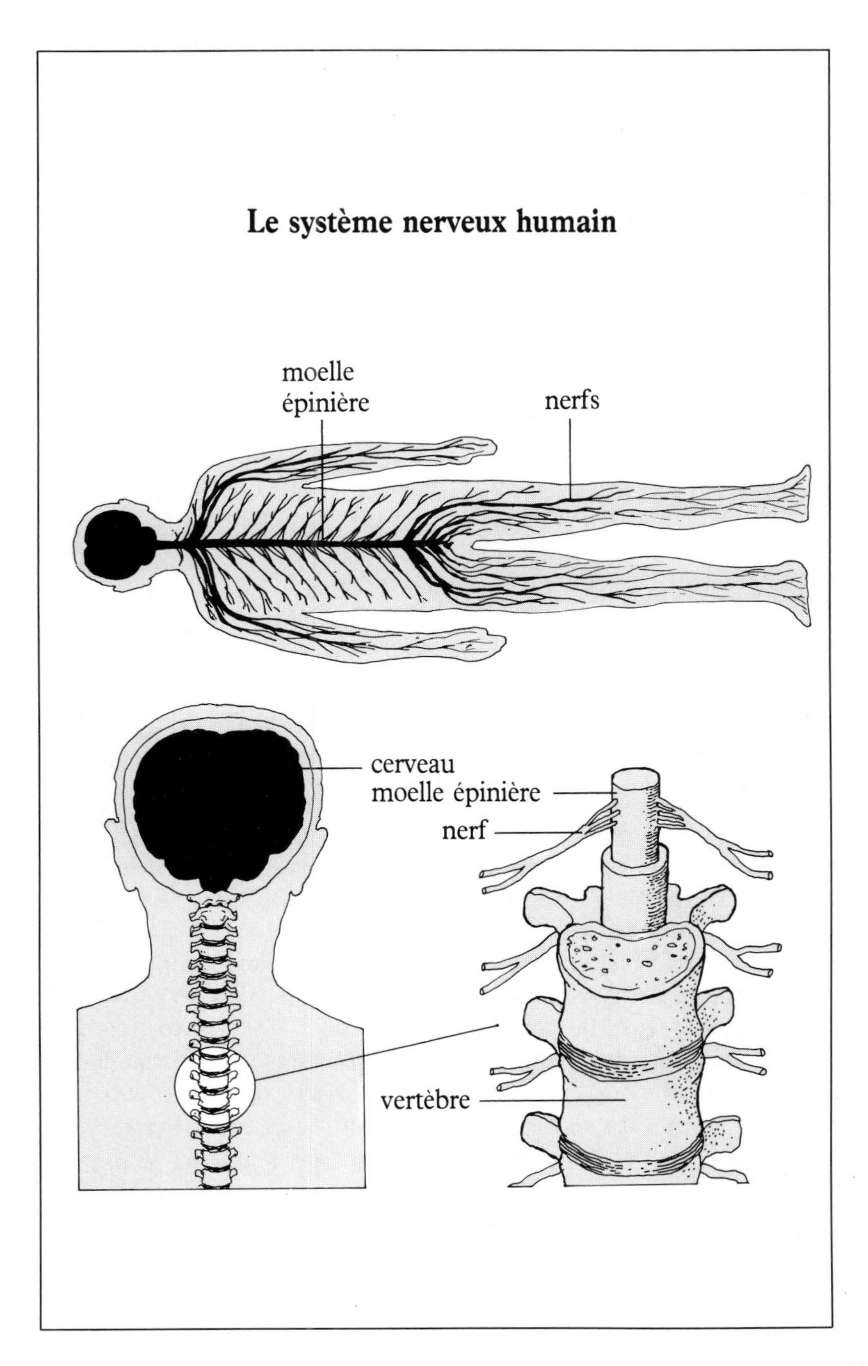
Le système nerveux humain
moelle
épinière
nerfs
cerveau
moelle épinière
nerf
vertèbre

épousent alors non seulement le volume approximatif et les dimensions, mais également la structure symétrique. Ensuite, enfilez une paire de gants épais, de préférence gris clair. Ceux-ci représentent le cortex (terme latin pour « écorce ») qui est la partie la plus récente du cerveau, responsable des activités spécifiquement humaines telles que le langage et la créativité artistique.

On peut retrouver dans le cerveau une sorte d'organisation architecturale liée au fait que cet organe a été, au cours des processus d'évolution qui se sont étendus sur des millions d'années, structuré et organisé progressivement. Ainsi pouvons-nous l'imaginer comme une vieille bâtisse construite il y a bien longtemps pour abriter une petite famille et qui a dû être peu à peu agrandie à chaque nouvelle génération. La structure originelle de base est intacte, mais certaines activités ont été placées ailleurs dans la maison : c'est comme lorsqu'on installe une nouvelle cuisine et que l'on transforme l'ancienne en cellier. Ainsi en est-il des structures profondes — anciennes — du cerveau humain : ce sont les vieilles pièces d'habitation. Les couches les plus superficielles — qui sont aussi les plus récentes — sont quant à elles très différentes. Le cerveau n'est pas une maison lisse et moderne où chaque mètre cube est bien organisé. C'est au contraire une construction un peu chaotique, formée de pièces superposées, de structures différentes communiquant entre elles par de multiples couloirs.

Nous nous plaisons à penser que nous vivons exclusivement dans les pièces les plus modernes et les plus rationnelles de cette maison ; mais ceci n'est qu'une illusion. Plusieurs systèmes, dans le cerveau, surveillent notre monde, en tirent des conclusions et interviennent en faisant bien souvent resurgir les marques du passé. Nos cheveux se dressent-ils lors d'un accrochage avec un collègue, cela n'est qu'un rappel de la façon dont la fourrure du chat se hérisse pour gonfler artificiellement sa taille devant un ennemi.

Nous portons ainsi en nous notre propre évolution, celle des différentes structures cérébrales superposées.

Les émotions existaient bien avant que nous n'existions.

L'encéphale a été construit en associant trois grands éléments. Le premier est le rhombencéphale ou cerveau postérieur : c'est la partie la plus ancienne de l'encéphale ; il comprend la plus grande partie du tronc cérébral. Le deuxième élément est le mésencéphale ou cerveau moyen qui n'est que l'extrémité supérieure du tronc cérébral. Le troisième élément enfin est le télencéphale ou cerveau antérieur.

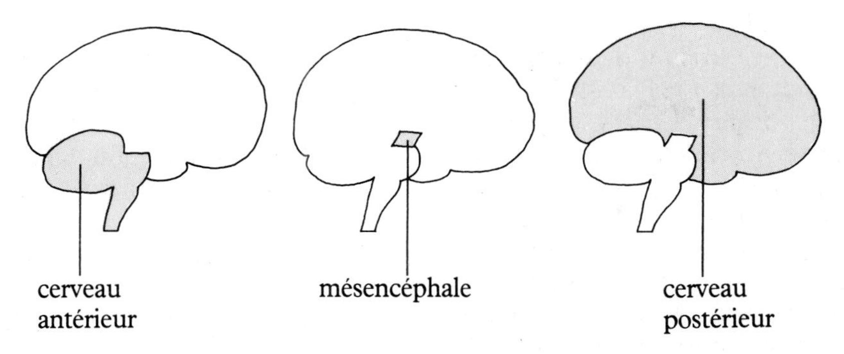

Ce dernier, tout en comprenant quelques structures anciennes, est essentiellement constitué des régions les plus récentes du cerveau, y compris le cortex dont nous avons déjà parlé.

Faisons maintenant le tour de notre vieille bâtisse et visitons en premier lieu les pièces qui ont été construites pour nous permettre, ainsi qu'à nos ancêtres, de survivre ; nous visiterons ensuite celles qui permirent l'apparition d'une vie nouvelle et de mondes nouveaux.

Commençons donc par le tronc cérébral. Il correspond grossièrement au petit renflement de l'extrémité antérieure de la moelle épinière des vertébrés primitifs. C'est en effet la région la plus ancienne et la plus profonde de l'encéphale, apparue il y a plus de cinq cents millions d'années, avant l'ère des mammifères. De nombreux savants appellent le tronc cérébral de l'homme cerveau reptilien, parce qu'il a globalement l'aspect de l'encéphale d'un reptile. Le

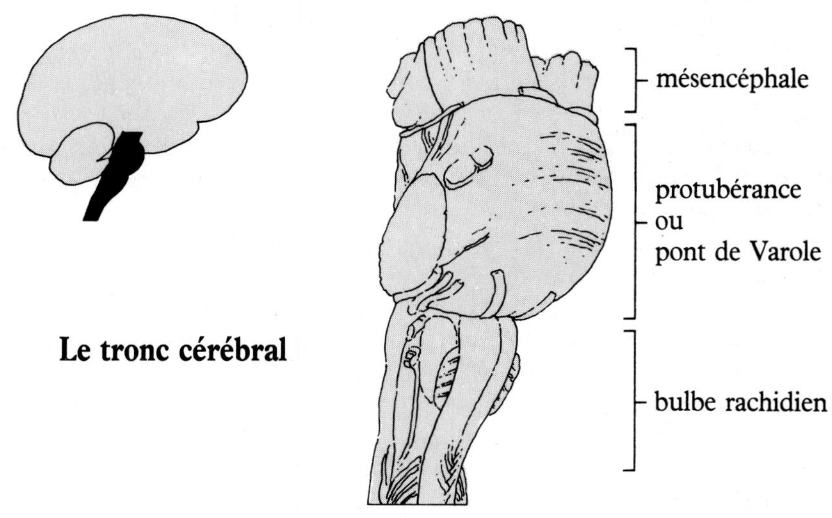

Le tronc cérébral

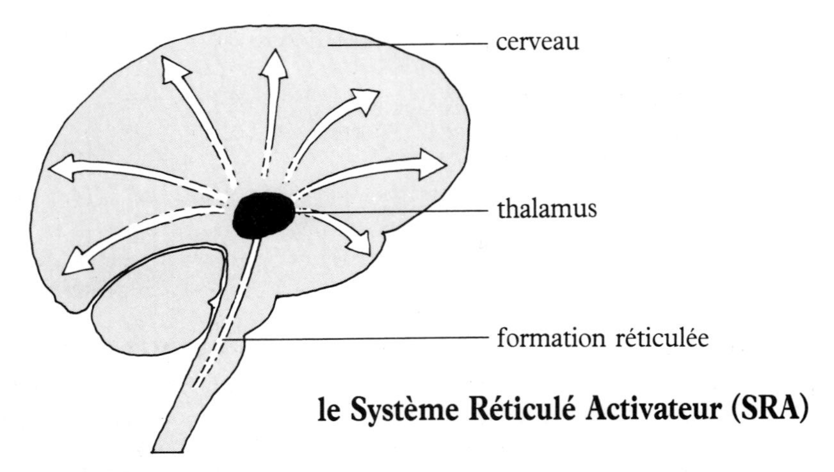

le Système Réticulé Activateur (SRA)

tronc cérébral a essentiellement des fonctions vitales : régulation de la respiration et du rythme cardiaque.

Au cœur du tronc cérébral et sur toute la hauteur de celui-ci, on trouve un cordon de tissu nerveux que l'on appelle la formation réticulaire. Celle-ci contient un certain nombre de noyaux appartenant au Système Réticulé Activateur ou S.R.A. Ce dernier agit comme une sonnette d'alarme prévenant le cerveau de toute information qui lui est adressée, comme par exemple un stimulus visuel.

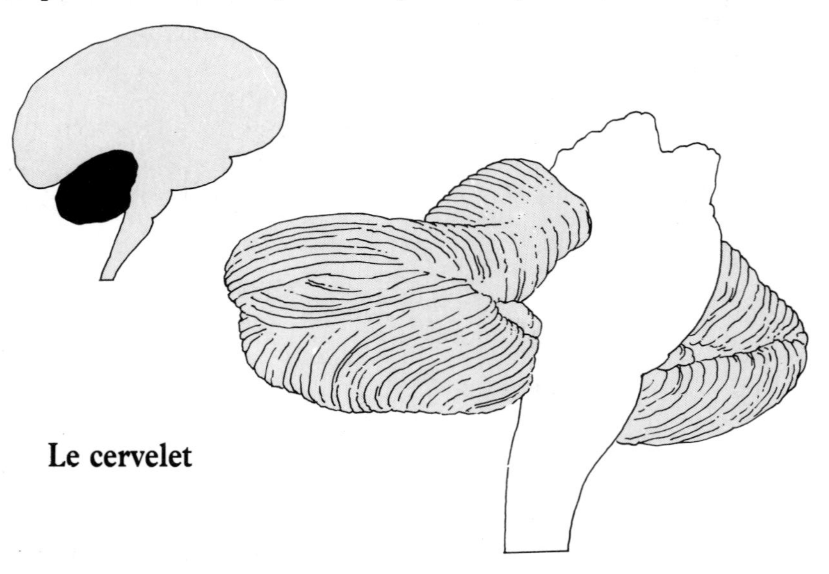

Le cervelet

Accroché à l'arrière du tronc cérébral, se trouve un autre élément du cerveau postérieur : le cervelet. Celui-ci s'est primitivement développé comme une structure motrice dont le but était d'améliorer le contrôle de l'équilibre, de la posture du corps et des mouvements dans l'espace. Il apparaît maintenant que la mémorisation de certains types de réponses simples acquises pourrait y être engrangée, en particulier dans les zones du cervelet qui sont apparues le plus récemment. L'affectation de nouvelles responsabilités au cervelet est caractéristique de la façon dont l'encéphale a évolué. Les structures anciennes n'ont pas été mises au rebut mais plutôt développées pour assumer de nouvelles fonctions. Alors que le cervelet s'enrichissait de tissu nerveux supplémentaire, une portion du tronc cérébral, appelée protubérance ou « pont » de Varole, s'est développée juste sous le mésencéphale (cerveau intermédiaire) pour assurer le relais des informations entrant ou sortant du cervelet.

Le système limbique est un groupe de structures cellulaires situé au centre du cerveau juste au-dessus du tronc cérébral. Il est apparu il y a deux cents à trois cents millions d'années. Une grande partie du cerveau antérieur (télencéphale) des reptiles appartient au système

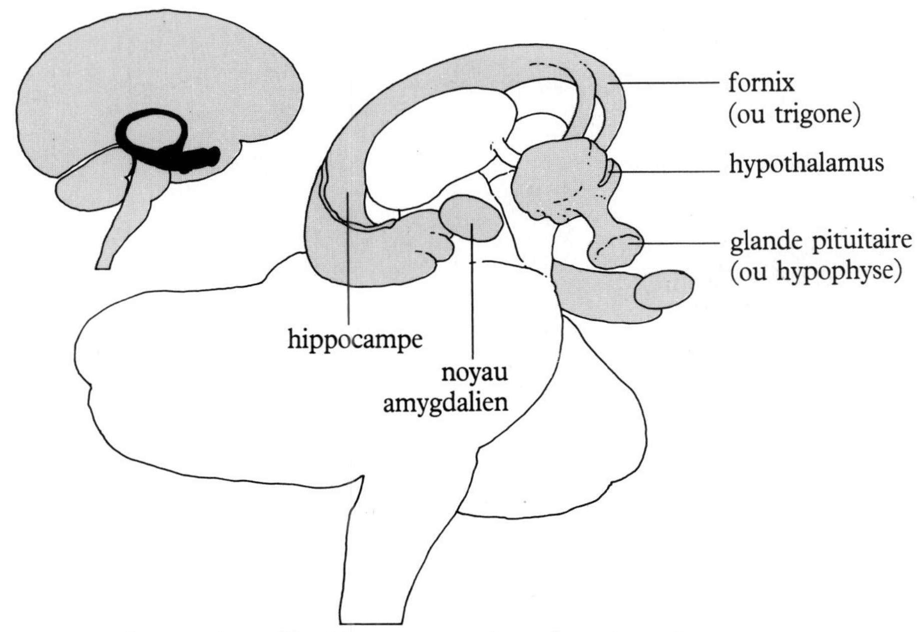

Le système limbique et sa situation dans le cerveau

limbique, dominé par les informations olfactives (sens de l'odorat). Chez les reptiles, il représente la région la plus « élevée » de l'encéphale. Dans le cerveau humain, le système limbique a été réduit en raison du développement de structures plus récentes. Aujourd'hui il semble assurer plusieurs fonctions. Les informations olfactives ne sont plus très importantes pour l'homme ; en revanche le système limbique a été amené à jouer un rôle clé dans les phénomènes de mémorisation de nos expériences vécues, faisant de ce système un autre exemple d'adaptation traduite par la rénovation des « vieilles pièces » dont la fonction a été modifiée au cours de l'évolution.

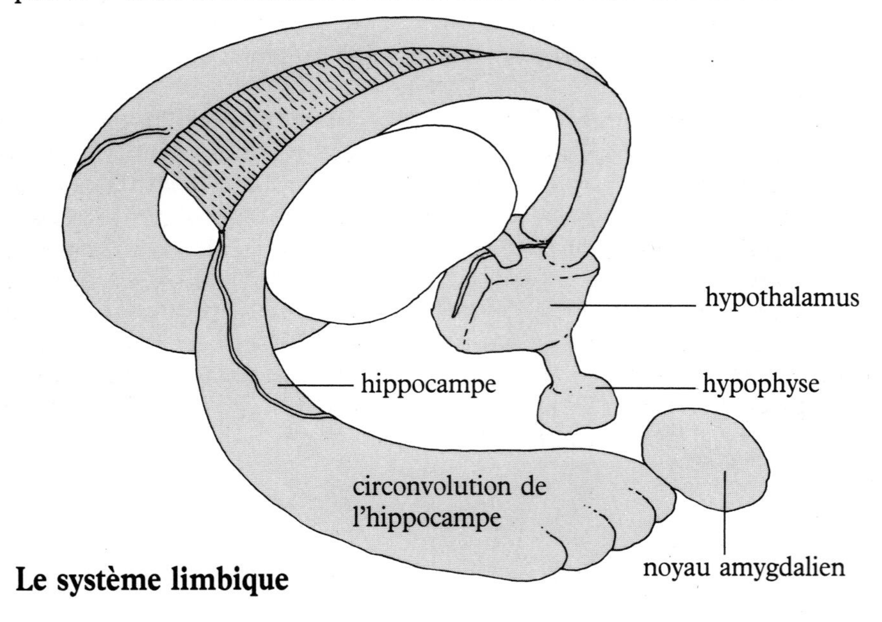

Le système limbique

Le système limbique est souvent appelé cerveau mammifère parce qu'il est particulièrement développé chez les mammifères. C'est la région de l'encéphale qui aide au maintien de l'homéostasie, c'est-à-dire au maintien des différentes constantes physiologiques de l'organisme. Les mécanismes homéostatiques localisés dans le système limbique régulent des fonctions comme le maintien de la température interne du corps, de la pression sanguine, du rythme cardiaque et de la glycémie (taux de sucre dans le sang). Sans le système limbique, nous serions donc, comme les reptiles, des animaux à sang froid : nous ne pourrions pas assurer à notre équilibre interne un « climat » homogène lorsque varie la température externe, que ce soit dans le sens d'une hausse ou d'une baisse. Bien qu'une personne dans le coma ait temporairement perdu l'utilisation des régions du cerveau antérieur permettant de maintenir le contact ou d'échanger des informations avec le monde extérieur, elle continue à vivre tant que le tronc cérébral et le système limbique maintiennent et régulent les fonctions vitales de l'organisme. Le système limbique est également fortement impliqué dans les réactions émotionnelles qui interviennent dans la survie de l'espèce, comme le désir sexuel ou les réactions d'auto-défense. Un bon moyen de se souvenir du rôle du système limbique est qu'il assure quatre fonctions primordiales à la survie, les « quatre A » : Alimentation, Agressivité, Accouplement, Auto-défense.

L'hypothalamus est peut-être la structure la plus importante du système limbique. Il est le « cerveau » du cerveau. Sans aucun doute, il est la partie la plus compliquée et la plus étonnante de l'encéphale. Il régule la faim, la soif, le sommeil, l'éveil, la température corporelle, les équilibres chimiques, le rythme cardiaque, les hormones, la sexualité, les émotions. L'hypothalamus équilibre aussi l'organisme hosméostatique grâce à un système de rétro-contrôle *(feed-back)*. Par exemple, la température corporelle est stabilisée par l'hypothalamus qui utilise la température du sang comme donnée de contrôle ; si le sang devient trop froid, l'hypothalamus réagit alors en stimulant les processus de réchauffement du corps.

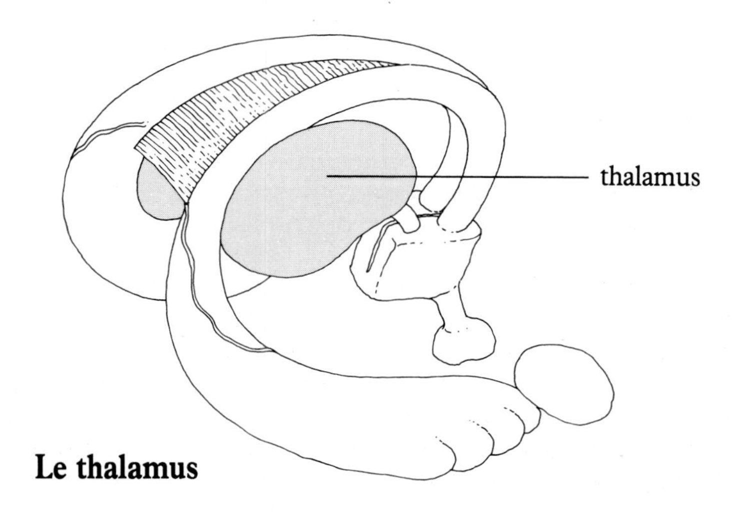

Le thalamus

Par une combinaison de messages électriques et chimiques, l'hypothalamus commande également la glande maîtresse de l'encéphale : l'hypophyse ou glande pituitaire. Cette glande règle la bonne marche de l'organisme grâce à des hormones. Les hormones sont des substances chimiques fabriquées et sécrétées par des neurones spécialisés du cerveau ; elles sont ensuite transportées dans le sang jusqu'à des cellules-cibles de l'organisme. Par exemple, chez l'homme, l'hormone gonadotrope (littéralement, en grec, « tournée vers le sexe ») est sécrétée par l'hypophyse et véhiculée par le flux sanguin jusqu'aux testicules où elle stimule la sécrétion de testostérone. Celle-ci est l'hormone mâle de base qui intervient dans les comportements sexuels et d'agressivité. L'hypophyse synthétise la plupart des hormones utilisées par le cerveau pour communiquer avec les principales glandes de l'organisme.

Il existe deux autres structures fondamentales dans le système limbique : il s'agit de l'hippocampe (dont l'aspect rappelle grossièrement celui de l'hippocampe de mer) et le noyau amygdalien (c'est-à-dire en forme d'amande).

Le thalamus, situé *grosso modo* au centre du cerveau antérieur, facilite la mise en route de la conscience et le triage préliminaire des informations extérieures. Certaines zones du thalamus sont spécialisées dans le recrutement d'informations particulières qui sont ensuite redistribuées vers différentes aires corticales.

Dans chaque hémisphère, sur les deux faces du système limbique, se trouvent les noyaux gris (ganglions de la base ou noyaux striés). Tout comme le cervelet, ils interviennent dans le contrôle de la mobilité, en particulier dans le déclenchement des mouvements. Dans le cerveau humain, les réseaux cellulaires compliqués sont très développés. Bien qu'assez différents sur le plan fonctionnel, les noyaux gris de la base et les principales structures du système limbique sont proches les uns des autres parce que tous étroitement connectés aux niveaux supérieurs de l'encéphale, c'est-à-dire au cortex cérébral.

La surface du cerveau est appellée cortex (« écorce ») ; elle comprend plus de cerveau que toute autre structure cérébrale. Le cortex préside à des activités qui ont considérablement augmenté notre faculté d'adaptation. C'est là que sont prises les décisions, que le monde est organisé, que nos expériences sont stockées dans notre mémoire, que le langage est produit et interprété, que les images sont intégrées, que la musique est entendue.

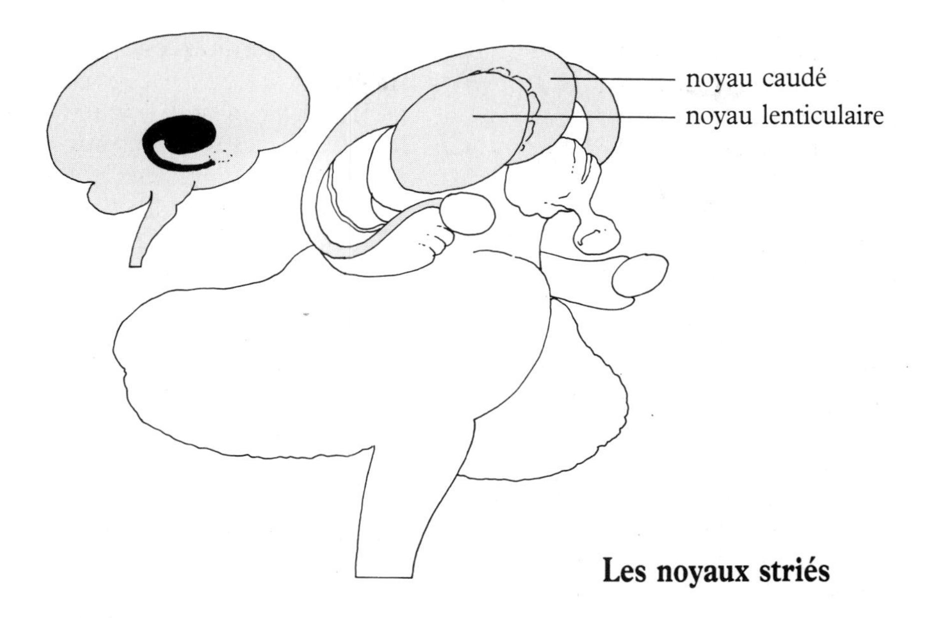

Les noyaux striés

L'écorce cérébrale a une épaisseur de trois millimètres et comporte de multiples replis. De tous les mammifères, les êtres humains ont d'ailleurs le cortex le plus plissé, certainement parce que le volumineux cortex qui est le leur doit s'emboîter dans une petite tête.

De ce que vous allez lire maintenant, il ressortira que l'on connaît beaucoup de choses sur le cerveau mais qu'en réalité, on sait très mal comment il fonctionne. Nous savons que certaines activités sont centralisées dans le cortex, et que certaines formes de mémorisation sont également corticales. En revanche, nous ne savons pas encore exactement ni où ni comment la mémoire est stockée (bien que l'on ait quelques idées sur le sujet) ; nous ne savons pas comment certains souvenirs précis refont surface. Nous savons que la réflexion et certains aspects de l'apprentissage sont des fonctions corticales ; mais nous ne savons pas exactement comment apparaissent les idées ni ce qui se passe dans le cerveau lorsqu'on apprend quelque chose de nouveau. C'est dans l'étude des fonctions supérieures du cerveau que la recherche neuro-scientifique trouve, et probablement trouvera toujours, ses limites. Même en utilisant pleinement nos capacités corticales, trouver la clé de leur propre fonctionnement reste une tâche peut-être impossible à accomplir.

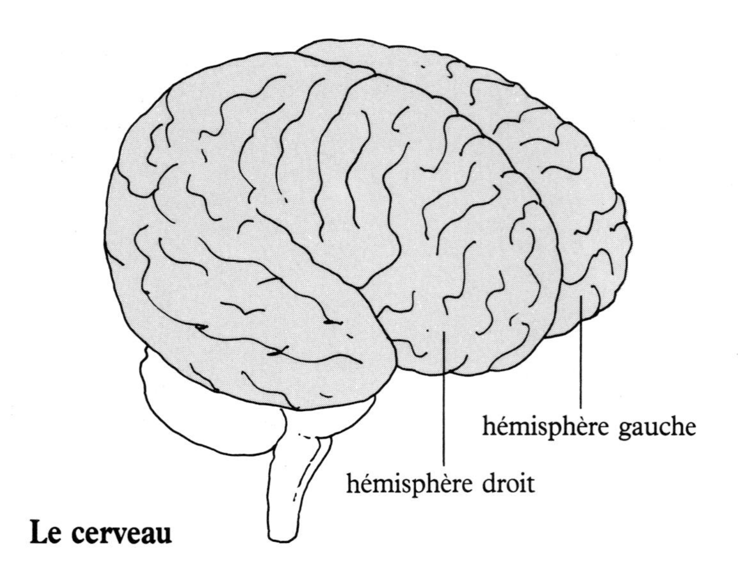

Le cerveau

Le cortex est la « direction générale » du cerveau, responsable des décisions et des appréciations portées sur les informations qui lui parviennent, tant de l'organisme que du monde extérieur. Tout d'abord, il reçoit une information ; il l'analyse ; il la compare avec les données déjà stockées, tirées d'expériences antérieures ou d'un savoir précis ; puis il prend une décision ; il envoie alors ses propres messages et ses instructions aux muscles et glandes appropriés.

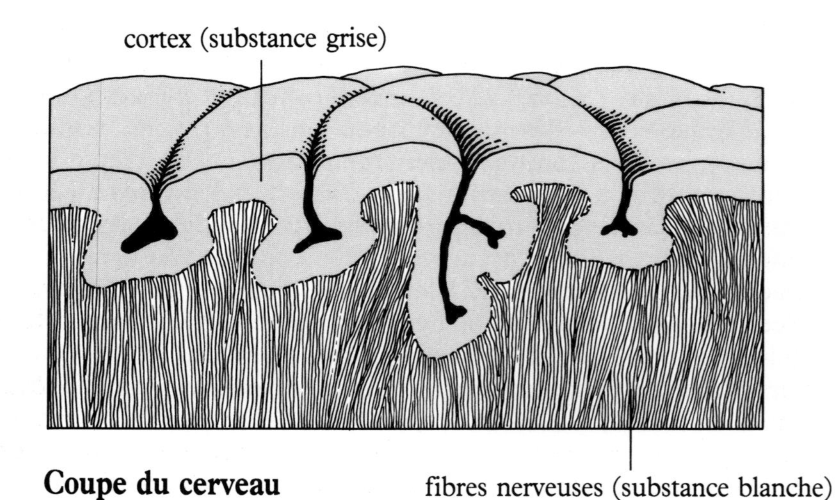

Coupe du cerveau

Le cerveau, nous l'avons vu, est divisé en deux hémisphères. Chaque hémisphère est responsable de la moitié du corps située du côté opposé. Ainsi, la moitié gauche du cerveau contrôle les mouvements et reçoit les informations de la moitié droite du corps, et inversement.

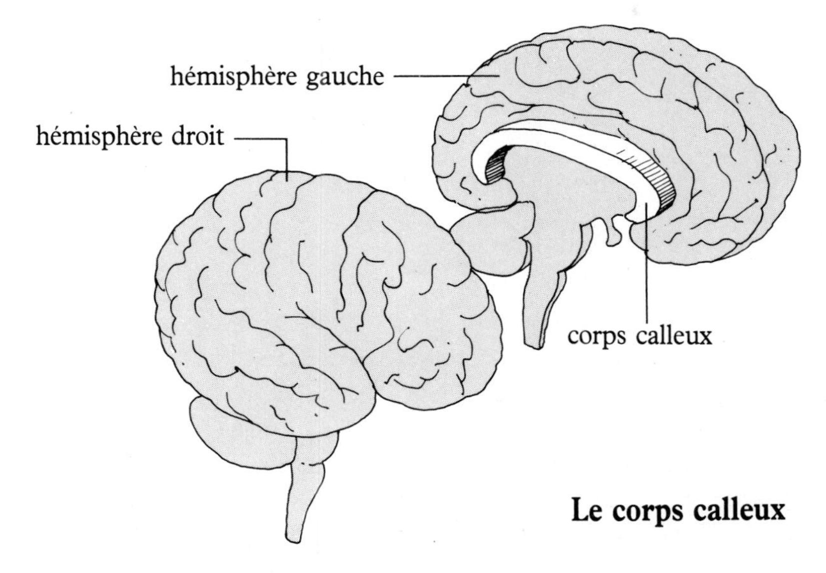

Le corps calleux

Les deux hémisphères sont reliés par une lame de fibres nerveuses appelée le corps calleux ; c'est le plus grand faisceau de fibres de l'encéphale, véritable « pont » de quelque trois cents millions de fibres nerveuses. Voici un à quatre millions d'années, la quatrième et dernière étape de l'organisation cérébrale humaine est apparue : c'était la spécialisation latérale (latéralisation) des deux hémisphères cérébraux. Ces différences de rôles sont apparues à l'époque où les humains ont commencé à utiliser des symboles, tant linguistiques qu'artistiques. Un auteur a appelé ce stade de l'organisation cérébrale le stade d'asymétrie symbolique.

Chaque hémisphère est identiquement divisé en quatre zones appelées lobes. Ce sont : le lobe occipital, le lobe temporal, le lobe frontal et le lobe pariétal.

A la partie postérieure de chaque hémisphère se trouve le lobe occipital. Parce que cette région est dévolue entièrement à la vision, elle est souvent appelée cortex visuel. L'information visuelle est envoyée depuis les yeux vers le cortex visuel où sont analysées les

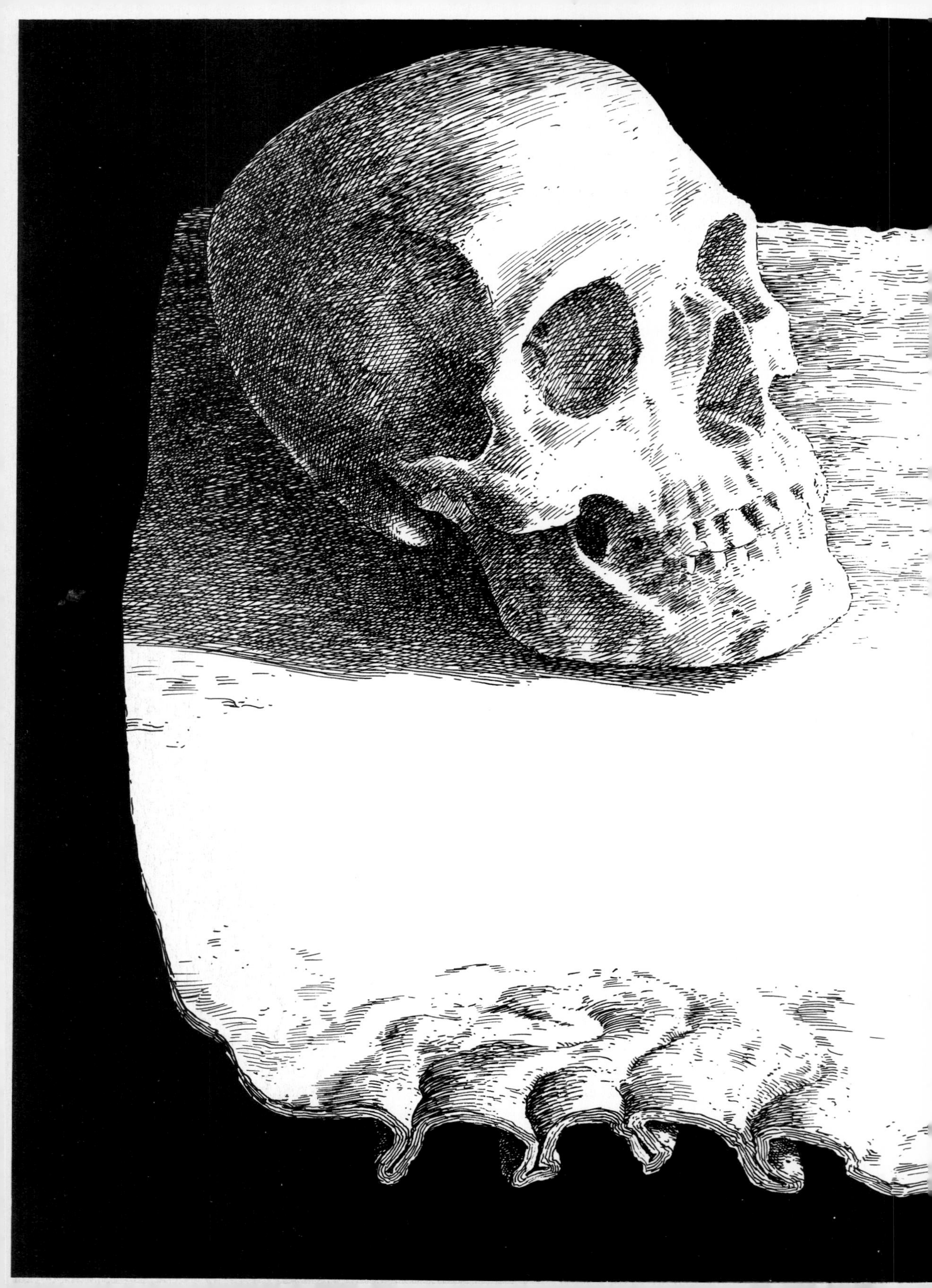

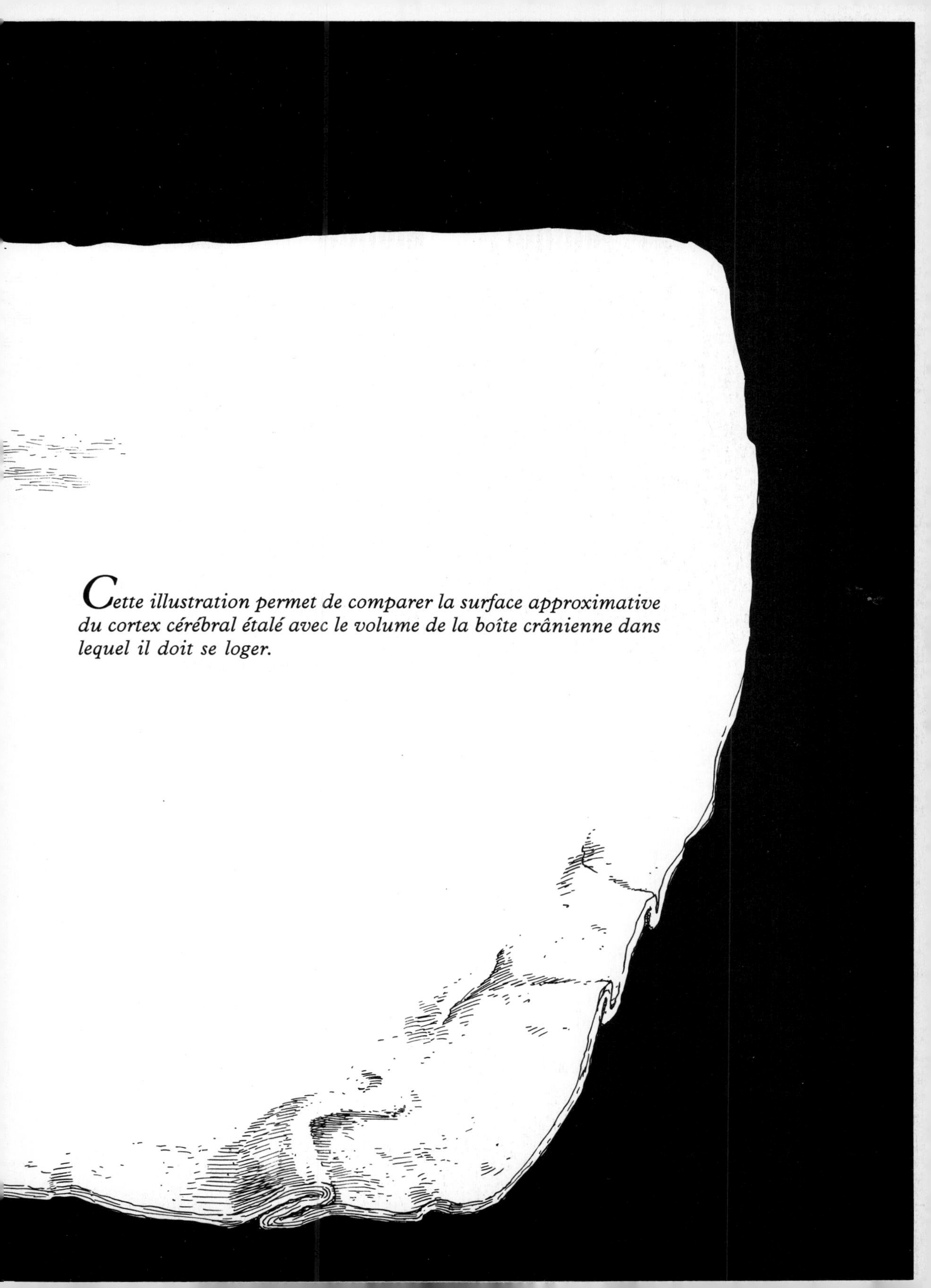

Cette illustration permet de comparer la surface approximative du cortex cérébral étalé avec le volume de la boîte crânienne dans lequel il doit se loger.

données concernant l'orientation, la position et le mouvement. Une lésion des deux lobes occipitaux peut entraîner une cécité même si le reste des voies visuelles est indemne.

Les lobes temporaux (au niveau des tempes) ont plusieurs fonctions importantes. Des deux côtés une zone de cortex temporal, de la taille d'un jeton de pocker, est responsable de l'audition : c'est le cortex auditif. D'autres fonctions du lobe temporal font intervenir, entre autres, la mémoire.

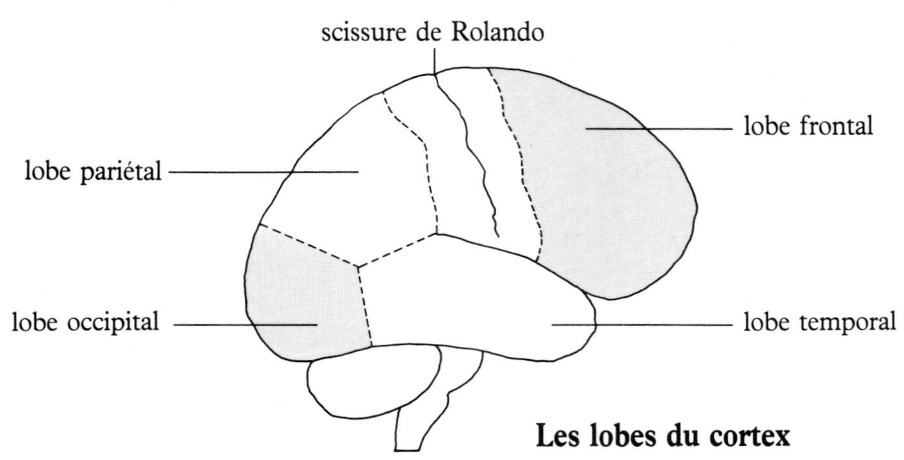

Les lobes du cortex

La plupart de nos connaissances sur le rôle des lobes temporaux ont été tirées de l'étude de malades ayant une lésion au niveau de cette région. Dans certains types de lésions, des hallucinations peuvent survenir ; dans d'autres cas, les événements survenant au décours de la lésion ne sont pas mémorisés. Une lésion grave de certaines régions du lobe temporal gauche, au décours d'une attaque par exemple, peut entraîner une aphasie, c'est-à-dire une perte de la parole. Voici l'exemple d'un malade aphasique interrogé lors de son hospitalisation ; son interlocuteur lui demande : « Quel métier exercez-vous ? » ; le malade répond : « Si vous aviez dit cela, Maga, à côté de Chanceux, au temps tout autour du quatre de Marzi. Oh, je suis tout confus. » Remarquez à quel point la tournure et les sons de ce langage ressemblent à du français. Ce jargon n'est pas tout à fait le produit du hasard : il évoque quelqu'un qui parle dans une pièce voisine, et dont on ne peut saisir correctement tout le discours. Ce qui manque au malade, c'est la capacité d'assembler les sons de base de façon signifiante.

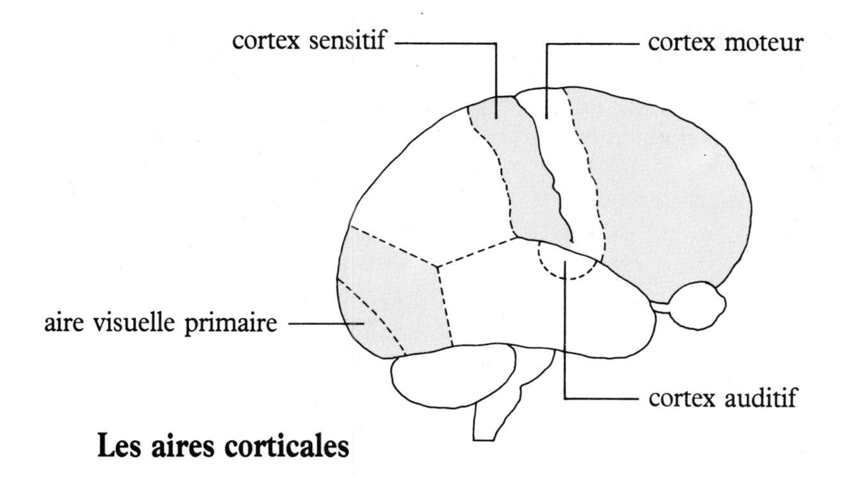

Les aires corticales

Par ailleurs, une lésion du lobe temporal droit entraîne une perturbation dans la représentation de données spatiales telle qu'elle doit être réalisée lorsque l'on dessine.

Quand le lobe temporal est stimulé électriquement, certaines personnes racontent qu'elles ont l'impression d'être dans deux endroits à la fois : la mémoire d'un événement passé et le moment présent coexistent alors dans la conscience du malade. Bien que parfaitement conscient et au courant de l'expérience en cours, un patient peut brutalement avoir l'impression d'être dans sa cuisine trente ou quarante ans plus tôt : les sons et les odeurs lui paraissent parfaitement réels.

Le lobe frontal, situé juste derrière le front, est le plus étendu des quatre lobes du cortex ; il surveille l'activité de la plus grande partie du cerveau restant. Il a des connexions particulièrement riches avec le système limbique. Certains faits semblent indiquer que l'impression initiale de menace ou de danger, lors d'un événement auquel on est confronté, est assurée par le lobe frontal. Celui-ci est fondamentalement impliqué dans la prévision, la décision et le comportement volontaire. Si les lobes frontaux sont détruits ou retirés, l'individu devient incapable de prévoir, d'exécuter ou d'appréhender une action ou une idée complexe ; il est incapable de s'adapter à une nouvelle situation. De telles personnes ne peuvent concentrer leur attention, elles sont distraites par des stimuli hors de propos. Bien que non atteintes directement, les fonctions supérieures les plus complexes comme le langage et la conscience sont rendues moins efficaces du fait de la perte de l'adaptabilité et des fonctions de prévision de l'individu.

Plus en arrière, les lobes pariétaux (du mot latin pour « de la paroi »), semblent être les régions où nous intégrons le monde qui nous entoure. C'est probablement là que les lettres deviennent des mots et les mots des pensées.

Une lésion de l'un ou l'autre des lobes pariétaux peut aboutir à une agnosie (non-connaissance). Vernon Mountcastle a étudié une personne ayant une lésion pariétale, qui méconnaissait tout un côté de son corps ; elle présentait ce que l'on appelle une asomatognosie (amorphosynthèse). Parce que son lobe pariétal droit était lésé, ce malade ignorait ou ne reconnaissait pas son côté gauche. Les dessins faits par le malade de Mountcastle montrent les chiffres d'une horloge regroupés dans la partie droite du schéma. Une personne ayant une lésion du lobe pariétal ne peut plus qu'habiller ou laver la moitié de son corps. Certains individus perdent la capacité de suivre des indices visuels ou auditifs et ne peuvent plus reconnaître les objets familiers par le toucher.

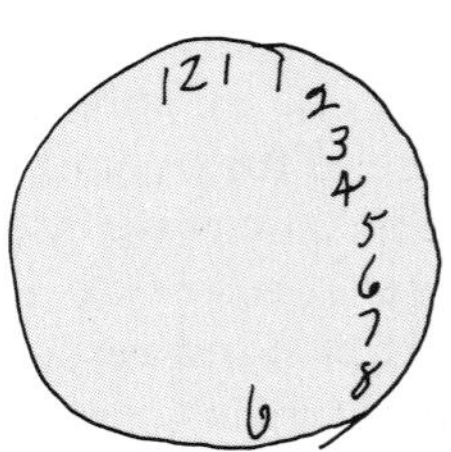

Les aires sensitives somatiques (« du corps ») sont situées près des lobes pariétaux. Elles sont relativement plus petites chez les humains que chez les autres animaux. Ces aires sensitives reçoivent, de tout le corps, des informations concernant d'une part la position des membres, des articulations et des muscles, d'autre part les sensations de tact et de pression. Les aires motrices, de leur côté, contrôlent les mouvements des différents segments du corps.

Ce qui se passe dans chaque région du corps est intégré au niveau cortical dans une zone spécifique correspondant à la région d'où arrive l'information ; la surface occupée par chaque zone corticale représentant une partie du corps n'est pas proportionnelle à l'étendue de celle-ci. Cela est dû au fait que plus le rôle fonctionnel de la zone considérée est important, plus la représentation corticale est importante. Ainsi, bien que le dos soit plus étendu que la langue, il est le siège de mouvements plus simples et a un rôle sensoriel moindre ; nos mains en revanche sont terriblement importantes, car elles transmettent de multiples renseignements par le toucher et peuvent réaliser des mouvements extrêmement complexes. Chez le chat, la surface cérébrale dévolue aux pattes est très petite ; mais celle affectée aux moustaches est très étendue, car celles-ci ont un rôle sensitif bien supérieur à celui des pattes. Chez le rat, une cellule corticale spécifique semble correspondre à chacun des poils de la moustache. Nous reviendrons plus en détail sur ces données au prochain chapitre.

Si les deux hémisphères d'un même cerveau semblent globalement identiques, il existe en fait des différences anatomiques significatives. L'examen du cerveau de fœtus ou de nouveau-nés révèle que dans 95 % des cas, une région du lobe temporal est plus étendue à gauche qu'à droite : il s'agit du *planum temporale* qui est impliqué dans le langage parlé et l'écriture.

Bien que chaque hémisphère soit spécialisé dans des tâches différentes, la séparation entre l'un et l'autre n'est pas absolue, car ils sont en intercommunication permanente. Si un hémisphère n'est jamais complètement au repos, l'autre n'est jamais débordant d'activité frénétique. L'hémisphère gauche est bien plus concerné par les fonctions du langage et du raisonnement logique que l'hémisphère droit. Le droit est, lui, plus spécialisé dans la représentation des données spatiales. Mais dire que les deux hémisphères sont des systèmes indépendants — « deux cerveaux » — est une simplification excessive et fallacieuse. Une activité aussi complexe que le langage, par exemple, nécessite une interaction des deux hémisphères. Si un hémisphère est lésé, l'autre peut parfois compenser l'insuffisance du premier ; mais la mise en jeu d'un tel mécanisme est d'autant plus difficile que l'on avance en âge. Si l'hémisphère gauche est lésé à la naissance, l'hémisphère droit prendra en charge le langage ; mais l'individu aura peut-être un langage plus maladroit qu'il ne l'aurait eu en d'autres circonstances.

La séparation récente (à l'échelle de l'évolution) des fonctions des deux hémisphères est spécifiquement humaine. Cela amène d'ailleurs à se poser des questions quant au mode de fonctionnement des structures cérébrales alors que celles-ci sont tout à la fois séparées par une large fissure (la scissure interhémisphérique) et réunies par un grand pont (le corps calleux).

La plus grande réalisation du cerveau humain est certainement, et à bien des égards, la pensée. Toutefois, ce qui semble nous rendre si spécifiquement humain — la parole, la pensée, la perception, l'intelligence, la conscience — ne représente en fait qu'une petite fraction des fonctions cérébrales. La principale fonction du cerveau est, en réalité, de réguler l'organisme ; c'est lui en effet qui contrôle, nous l'avons déjà dit, la température corporelle, la circulation sanguine et la digestion ; il surveille chaque sensation, chaque inspiration et chaque battement cardiaque, chaque clignement de paupière et chaque mouvement de déglutition. Il doit également assurer la bonne réalisation des mouvements : marcher droit, retirer sa main d'un poêle brûlant, lever le bras pour attraper une balle, sourire, etc. La parole elle-même est un mouvement : la langue, les poumons, la bouche et le pharynx doivent tous être mobilisés ensemble pour réaliser une émission de sons parlés.

Il y a, en Afrique, une trace de pas imprimée dans le sable depuis plus de trois millions et demi d'années. Elle marque le moment à partir duquel les êtres humains ont commencé à se démarquer du reste de la création ; c'est la trace d'une créature qui commence à se tenir debout sur ses deux jambes, au lieu d'être à quatre pattes. Cette première étape a préludé à toute une série d'autres, qui ont conduit à l'homme moderne. Le passage de la quadrupédie à la bipédie (marche sur deux pattes) a non seulement amené nos ancêtres à se fier moins à leur odorat et plus à leur vue, mais encore il a libéré les membres antérieurs (c'est-à-dire les bras) qui ont pu dès lors se consacrer à des tâches telles que la réalisation d'outils et de dessins. Cela a contribué au développement du langage et finalement de notre monde moderne.

Comme le remarquerait immédiatement un architecte, la libération des membres antérieurs a amené les membres postérieurs à supporter tout le poids du corps. La colonne vertébrale (le dos) n'était pas prévue initialement pour supporter la station érigée (ce qui explique partiellement la fréquence des douleurs « du dos ») ; pour supporter ce poids supplémentaire, le pelvis humain a dû devenir plus épais que celui des grands singes : cet épaississement du pelvis a créé ce qu'on appelle le défilé pelvien, c'est-à-dire l'ouverture que traverse l'enfant au moment de sa naissance.

Mais dans le même temps le cerveau et, par conséquent, le crâne, augmentaient de volume. Si la nature n'avait veillé à compenser cet inconvénient, aucun enfant ne pouvait plus naître ; la solution semble avoir été de faire naître les bébés humains à un stade très précoce de leur développement, alors que leur tête encore petite pouvait passer à travers le défilé pelvien. A la naissance, le cerveau d'un chimpanzé pèse 45 % à 50 % du poids de celui du chimpanzé adulte ; le cerveau du nouveau-né humain ne représente, lui, que 25 % du poids du cerveau adulte. C'est pourquoi les enfants humains ont la plus longue période d'impuissance fonctionnelle du royaume animal. La plus grande partie du développement cérébral se passe en effet hors du ventre maternel. Il est donc exposé et influencé par l'environnement extérieur, les événements et les personnes de son entourage.

Il a fallu des centaines de millions d'années pour créer les quatre cents centimètres cubes du cerveau de l'Australopithèque qui vivait il y a 400 millions d'années en Afrique. Il n'a fallu, en revanche, que quelques millions d'années supplémentaires pour que le cerveau atteigne 1 250 à 1 500 cm^3, et puisse concevoir la pensée abstraite. Cela nous a permis de nous adapter à toutes les conditions géographiques et climatiques.

Proportionnellement au corps, le cerveau humain est le plus grand des cerveaux des mammifères terrestres ; en fait, ce n'est pas seulement la taille qui compte ; le facteur le plus important est la nature de la région cérébrale qui s'est développée. Ainsi, notre cortex cérébral, la partie la plus évoluée de notre cerveau, est plus étendu et plus compliqué que celui de n'importe quel autre animal. Il est la partie la plus spécifique de l'être humain. Il nous permet d'assumer notre héritage et de créer notre propre environnement.

Voilà donc ce qu'est devenu notre cerveau à travers les millions d'années : une structure complexe comportant des éléments issus de notre passé reptilien et mammifère, et ayant la capacité de créer notre propre futur (tout au moins l'espérons-nous).

Dans ce chapitre nous venons de considérer les structures d'ensemble du cerveau. Les trois prochains chapitres concerneront les structures spécifiques de l'encéphale. Nous allons voir tout d'abord de quoi sont constitués les différents éléments, comment sont assemblés les modules de cette construction complexe et apparemment chaotique.

2

LE CERVEAU SENSORIEL : LES COLONNES DE L'EXPÉRIENCE

Le cerveau, nous l'avons vu, est comme une vieille maison qui comporte de nombreuses pièces d'habitation. Parmi les plus importantes sont celles responsables de l'expérience que nous tirons du monde extérieur. Lorsque l'on ouvre les yeux on peut admirer un magnifique paysage multicolore, en relief, à trois dimensions. En réalité, les choses ne sont pas aussi simples qu'il paraît, car ces visions résultent d'une organisation complexe et très structurée. Cette vision du monde est créée par la région visuelle du cerveau, en particulier par l'aire visuelle du cortex cérébral, cette lame de tissu cortical située à l'arrière du cerveau et qui code le monde visuel.

Nous appréhendons également le monde par l'ouïe et le toucher. Il y a ainsi une aire auditive dans le cortex cérébral, tout comme il y a une aire tactile. Pour autant que l'on sache, toutes les aires sensorielles du cortex fonctionnent selon un même système de base qui code la multitude de stimuli qu'il nous faut intégrer. Bien que nos sens les plus anciens et les plus fondamentaux soient le goût et l'odorat, leurs mécanismes sont difficiles à explorer et nous ne pouvons que supposer qu'ils opèrent selon des processus identiques à ceux du toucher et de la vue.

Parce que nous en savons plus sur les systèmes corticaux qui codent la vision que sur ceux des autres systèmes sensoriels, nous insisterons particulièrement sur ce système visuel, le mieux compris du cerveau sensoriel. Une découverte tout à fait remarquable concernant cette région du cortex a été faite voici quelques années seule-

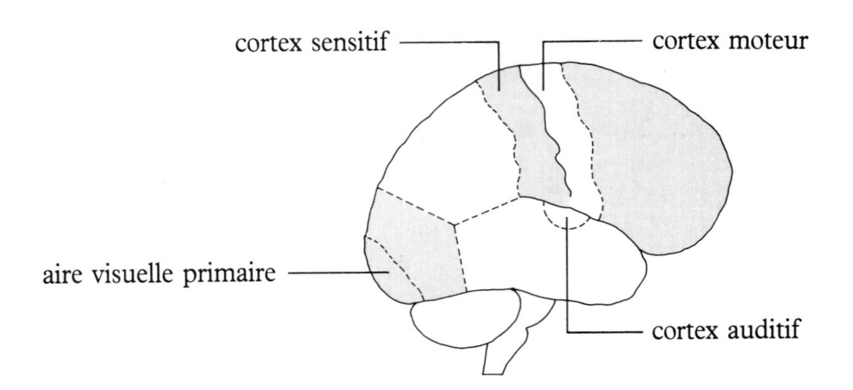

ment par David Hubel et Torsten Wiesel à l'Université d'Harvard (États-Unis), découverte qui leur valut d'ailleurs le prix Nobel en 1981 : le cortex visuel est organisé selon un système de colonnes de cellules nerveuses étendues de la superficie à la profondeur.

Ces milliers de petites colonnes neuronales semblent coder les données de base de l'expérience visuelle. Il en est de même pour l'aire du cortex cérébral qui gère le sens du toucher : elle est également constituée de milliers de colonnes qui codent les sensations cutanées comme le tact et la pression. Nous pensons que cela est également vrai pour le cortex auditif, bien que les connaissances à son sujet soient moindres.

Ainsi, alors que nous pénétrons dans la « pièce » responsable de la vision — l'aire visuelle du cortex — nous la trouvons remplie de

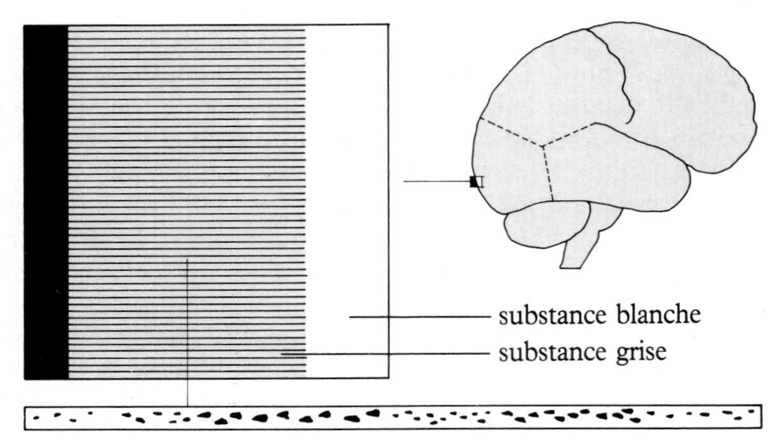

Les colonnes du cortex visuel

milliers de colonnes de cellules nerveuses. En fait, il y a plusieurs « pièces » responsables de la vision. Il nous est dès lors possible de pénétrer plus profondément en partant de la pièce principale pour saisir comment celle-ci est organisée en plusieurs « sous-pièces ». Chacune d'elles est remplie de nombreuses colonnes cellulaires qui sont véritablement les colonnes de l'expérience.

Examinons d'abord l'histoire d'un enfant que nous appellerons Thomas. Quand Thomas était âgé de deux ans, une petite tuméfaction est apparue au niveau de sa paupière gauche. Ce n'était pas grave : la tumeur n'était pas maligne. Mais Thomas, gêné par cette lésion, l'a grattée jusqu'à ce qu'elle s'infecte. Le médecin a alors recouvert son œil gauche avec un pansement l'empêchant de continuer à se gratter. Au bout d'une semaine, le pansement a été retiré ; la paupière était guérie. Les parents de Thomas ont alors oublié toute cette histoire.

Quelques années plus tard, à son entrée à l'école, Thomas a subi un examen médical. Sa vision de l'œil droit était normale, mais celle de l'œil gauche déficiente. On l'a alors emmené chez l'ophtalmologiste.

Peut-être Thomas était-t-il myope de l'œil gauche ? Cela impliquait le port de lunettes, un bien petit prix pour une bonne vue. Mais à la surprise générale on constata qu'il n'avait rien d'anormal à l'œil gauche. Le cristallin était parfait ; il projetait parfaitement l'image du monde sur la rétine de Thomas. La rétine était elle aussi tout à fait normale et fonctionnait sans problème. Et pourtant Thomas voyait mal de son œil gauche. L'ophtalmologiste ne pouvait expliquer ce phénomène et était incapable de traiter l'enfant, qui garda toute sa vie une vue faible de l'œil gauche. Personne ne pensa que cela pouvait être dû à l'infection de la paupière qu'il avait eue à l'âge de deux ans ; de fait, il n'y avait aucune relation directe. L'infection n'avait pas dépassé la paupière, n'avait pas atteint l'œil lui-même.

Nous savons aujourd'hui pourquoi Thomas voyait mal de l'œil gauche. Aussi incroyable que cela puisse paraître, c'est parce que son œil avait été recouvert pendant une semaine alors qu'il était âgé de deux ans. Nous verrons pourquoi plus loin dans ce chapitre. Cette explication est le résultat d'une passionnante enquête scientifique qui a permis de comprendre comment nous voyons, comment fonctionnent les yeux et le cerveau visuel, comment ceux-ci forment les structures de la vision. (Bien que l'histoire de Thomas soit fictive, elle repose sur les connaissances modernes sur le système visuel des

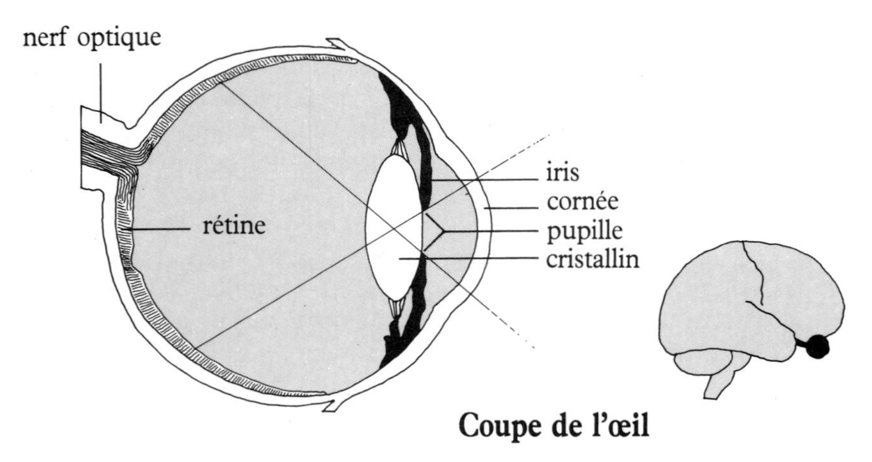

Coupe de l'œil

mammifères et sur des données cliniques maintenant reconnues et acceptées.)

L'œil fonctionne un peu comme une caméra moderne de 35 mm. Il a une lentille de grande qualité formée de cellules translucides. En fait, la lentille de notre œil est plus performante que n'importe quelle lentille de caméra ou d'appareil photo parce qu'elle change de forme pour focaliser sur un objet proche ou éloigné. Dans une caméra, la lentille doit avancer ou reculer pour faire de même. Dans un œil normal, la lentille (le cristallin) focalise une image du monde sur la rétine tout comme une bonne caméra.

Le cristallin projette une image précise et nette sur la rétine. Cela active le « film » photographique de la rétine. A partir de là, l'œil fonctionne très différemment d'une caméra. Le « film » de l'œil est une couche de cellules photo-sensibles : les bâtonnets et les cônes. Ils contiennent des pigments visuels — des colorants qui réagissent à la

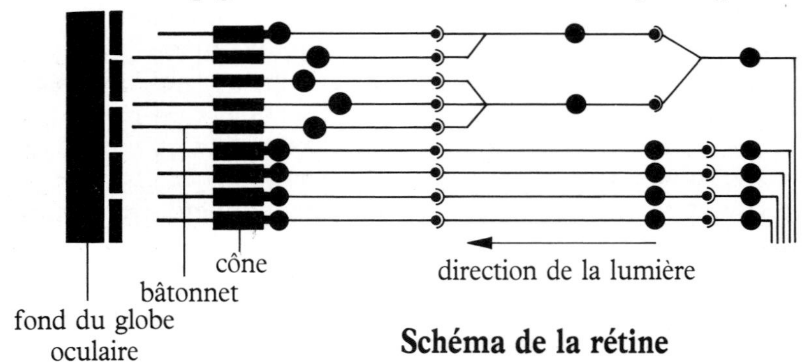

Schéma de la rétine

lumière tout comme les grains d'argent d'une plaque photographique. Mais les pigments de l'œil ne changent pas définitivement ; ils se modifient transitoirement en fonction de la quantité de lumière qui les frappe ; lorsque la lumière disparaît, ils reprennent leur état initial. Les pigments visuels sont des substances chimiques composées de vitamine A et de protéines, ce qui explique que les carottes (riches en vitamine A) améliorent la vision.

L'image du monde que voit la rétine de notre œil est très différente de ce que nous « voyons » réellement. La rétine « voit », en effet, le monde comme une série de points ou de taches noires, lumineuses ou colorées. Lorsque nous contemplons ce qui nous entoure, notre œil transmet ces taches à notre cerveau, qui les transforme en images régulières et continues. Pour comprendre l'organisation de la vision, il faut tout d'abord comprendre l'architecture du cortex visuel.

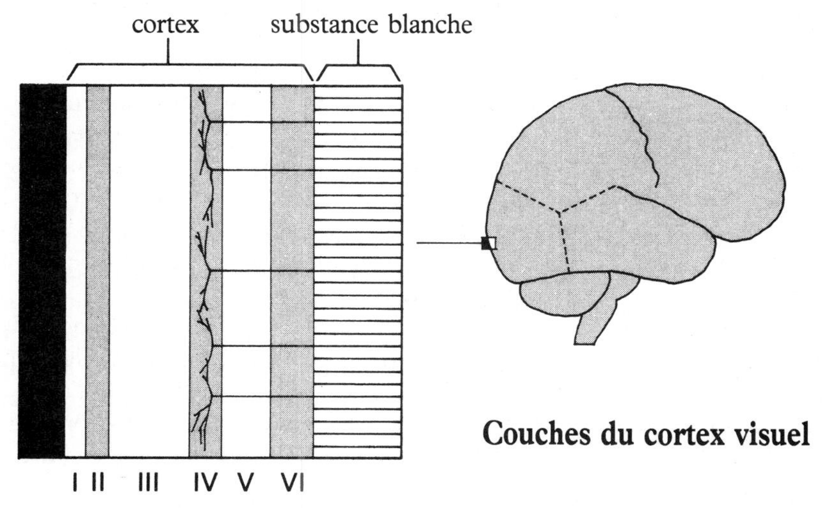

Couches du cortex visuel

Le cortex cérébral dans son ensemble contient des milliards de neurones, plus qu'il n'y en a dans tout le reste du cerveau. Mais sa structure reste simple. Il comporte six couches de cellules nerveuses ; chacune de ces couches contient des cellules qui assurent les relations entre les couches ainsi que d'une zone à l'autre à l'intérieur d'une même couche (ces couches sont numérotées de I à VI). Le cortex se présente donc comme une sorte de manteau à six épaisseurs qui recouvre le cerveau.

Par ailleurs, ces six couches sont elles-mêmes organisées de la superficie vers la profondeur en colonnes verticales au sein desquelles

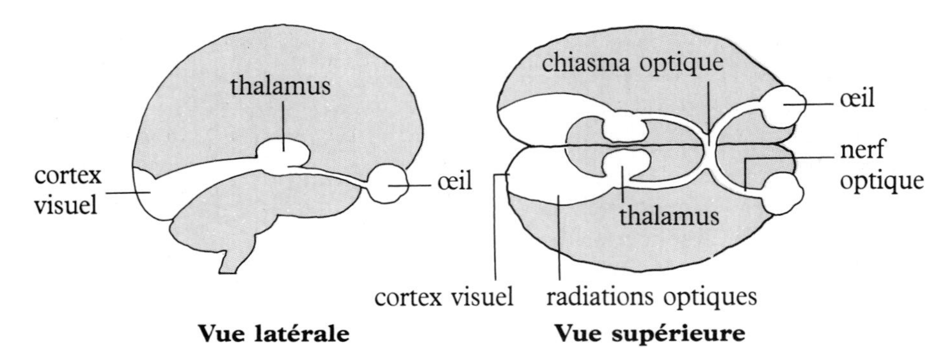

Vue latérale **Vue supérieure**

Les voies visuelles primaires

des cellules assurent les connexions d'une couche à l'autre. Ces colonnes verticales ne sont pas très grandes — une fraction de millimètre de diamètre — et semblent exister partout dans le cortex. De nombreux spécialistes du cerveau pensent actuellement que la colonne est l'unité fonctionnelle de base du cortex cérébral.

Les neurones qui transportent l'information depuis l'œil s'articulent avec les cellules de la couche IV du cortex visuel. (En fait, les fibres nerveuses venant de l'œil s'articulent d'abord avec des cellules du thalamus, lesquelles se terminent à leur tour sur la couche IV ; en pratique, la répartition des points lumineux reste identique tout au long des voies visuelles, de sorte que le relais dans le thalamus peut être en quelque sorte ignoré.) L'image pointillée de la rétine est projetée en totalité sur le cortex visuel. Si l'on étalait le cortex visuel, sa superficie serait, bien entendu, beaucoup plus grande que celle de la rétine. Bien que l'image reçue par le cortex soit tout à fait précise, elle apparaît déformée.

Lorsque vous regardez un objet, le centre de votre champ de vision se projette sur une toute petite région de la rétine, de l'ordre de un millimètre de diamètre, au niveau de laquelle se réalise la vision la plus nette. Cette région se projette sur la moitié du cortex visuel. En revanche, des zones beaucoup plus étendues situées à la périphérie de la rétine se projettent sur des surfaces du cortex visuel beaucoup plus petites. La raison pour laquelle le centre du champ de vision est de beaucoup le plus net est donc que de très nombreuses cellules du cortex visuel sont mises en jeu par cette petite région centrale de la rétine dont nous venons de parler.

Imaginez que vous soyez une cellule nerveuse de la couche IV du cortex visuel. Que voyez-vous ? Quel type d'information agit sur vous ? Par essence même, vous voyez un point lumineux, un point élémentaire, mais uniquement si une petite tache lumineuse atteint la petite région de la rétine à laquelle vous êtes connecté. Si aucune lumière n'atteint cette zone de la rétine vous — neurone de la couche IV — ne voyez rien. Ainsi un seul point de la rétine sert de récepteur à une cellule nerveuse donnée de la couche IV du cortex visuel. La fibre nerveuse de cette petite région de la rétine, et seulement elle, est connectée à la cellule correspondante de la couche IV. Ce n'est que lorsque la lumière atteint cette zone réceptrice particulière de la rétine que la cellule de la couche IV est excitée. Cette zone réceptrice ne peut être située qu'au niveau d'un seul œil, soit le droit, soit le gauche.

Si, dans la couche IV du cortex visuel, nous regardons la cellule voisine de celle dont nous venons de parler, nous constatons qu'elle correspond à une zone réceptrice dans l'autre œil, au même niveau. Il y a ainsi, dans la couche IV, des colonnes cellulaires, accolées les unes aux autres. Une colonne reçoit les informations d'une zone réceptrice de l'œil gauche, la colonne voisine reçoit les informations de la zone réceptrice correspondante de l'œil droit. Ces groupes cellulaires alternent dans toute la couche IV du cortex visuel. Imaginons que l'on retire les trois premières couches corticales pour mettre à nu la couche IV et que l'on colore en noir les colonnes recevant l'information de l'œil droit et en blanc celles venant de l'œil gauche ; la couche IV apparaîtrait alors rayée de blanc et de noir. Ces

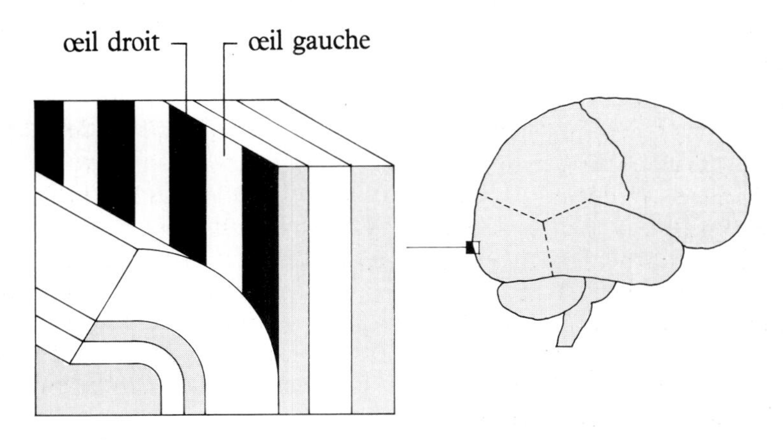

Aires de dominance oculaire dans la couche IV

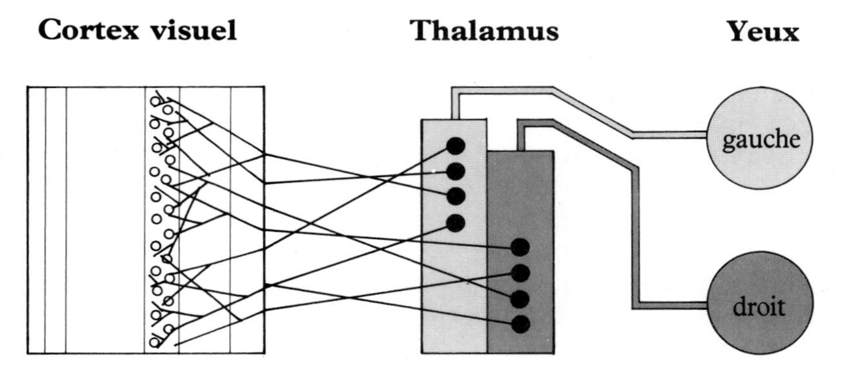

a. Le système visuel deux semaines après la naissance (absence de dominance oculaire au niveau du cortex visuel).

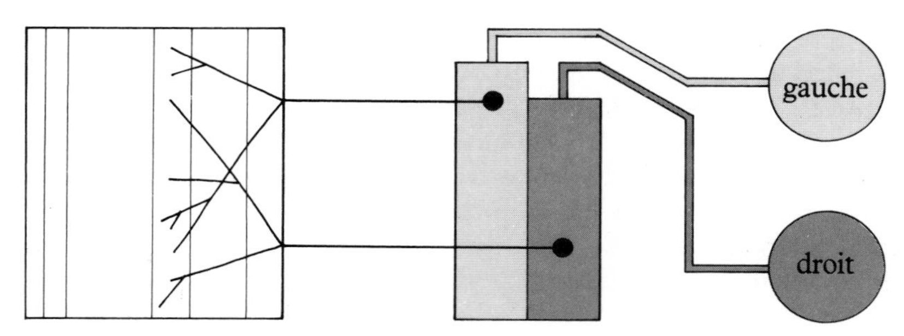

b. Apparition de la structure adulte en raison de la compétition.

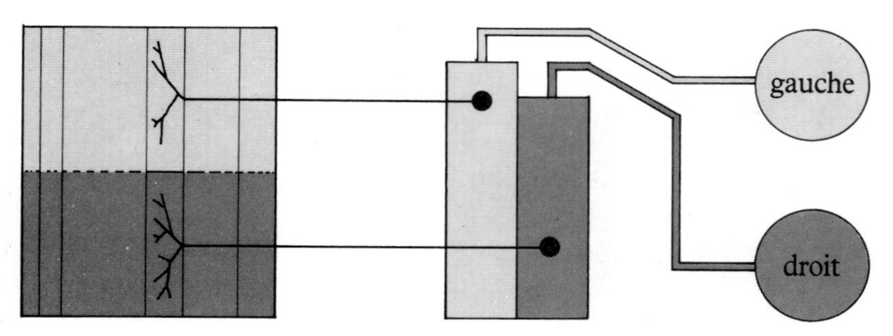

c. L'information synaptique la plus importante prédomine et prend le contrôle des colonnes cellulaires, créant des aires alternées de dominance oculaire au niveau de la couche IV du cortex visuel adulte.

rayures symbolisent l'origine des informations, qui viennent soit de l'œil droit soit de l'œil gauche.

Revenons à l'histoire de Thomas. Son œil gauche fonctionnait normalement mais avec une mauvaise acuité parce qu'il s'était passé quelque chose d'anormal au niveau de son cortex visuel. Les études sur l'animal fournissent maintenant une explication à ce problème. Le cortex visuel des mammifères supérieurs, comme le chat ou le singe, est globalement superposable au cortex visuel de l'homme, avec une même structure en bandes de la couche IV. Mais ce schéma structural est très différent chez l'animal nouveau-né, où chaque œil se projette sur la quasi-totalité des cellules de la couche IV ; pendant la petite enfance la structure évolue peu à peu vers celle des bandes alternées.

A la naissance, les fibres des deux yeux agissent ensemble sur tous les neurones de la couche IV du cortex visuel. Une lumière projetée sur l'un des deux yeux active un neurone donné dans la couche IV. Mais très vite les fibres venant des deux yeux entrent en compétition. Dans une petite région du cortex visuel, l'œil droit aura un petit avantage et dominera. Dans une autre région c'est l'œil gauche qui dominera. Au cours de la petite enfance les fibres des deux yeux, de totalement imbriquées, deviennent totalement séparées selon la structure en bande que nous avons vue. On ne sait pas encore comment survient ce phénomène, mais il existe ; il s'agit peut-être d'un exemple au niveau cellulaire de compétition et de survie du meilleur.

Si un œil est occulté pendant la petite enfance d'un animal, celui-ci, lorsque l'œil est libéré, reste définitivement aveugle de cet œil. Si l'on fait de même à un animal adulte, la fonction de son œil reste normale ; c'est d'ailleurs ce que l'on constate chez les adultes humains que l'on opère de la cataracte : après l'intervention, l'acuité visuelle n'apparaît pas modifiée. A l'inverse, un bébé humain qui naît avec une cataracte restera aveugle de cet œil même après que la cataracte aura été opérée, si l'intervention a été trop tardive.

Chez un animal élevé avec un œil fermé, les fibres venant de cet œil perdent leur fonction au profit des fibres de l'autre œil, du fait de la compétition qui les oppose au niveau de la couche IV du cortex visuel. L'œil sain est amené à activer la quasi-totalité des cellules de la couche IV, alors que l'œil qui a été occulté n'en active presque aucune. Cela entraîne une modification fonctionnelle qui semble définitive ; l'explication est simple : une stimulation visuelle normale est nécessaire au développement de la vision. L'expérience visuelle

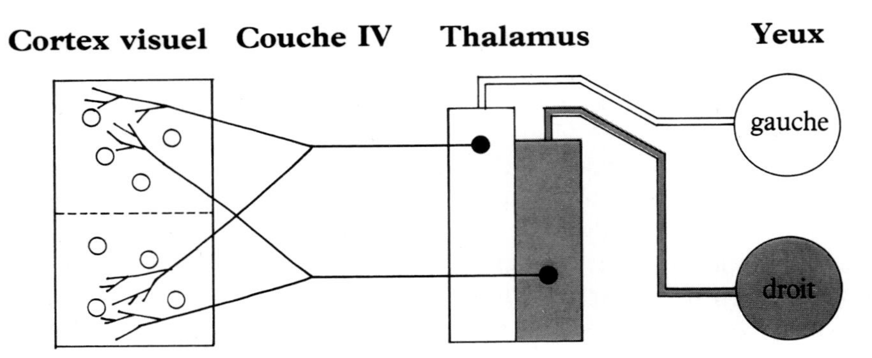

a. Compétition naturelle pour la dominance oculaire entre l'œil gauche et l'œil droit.

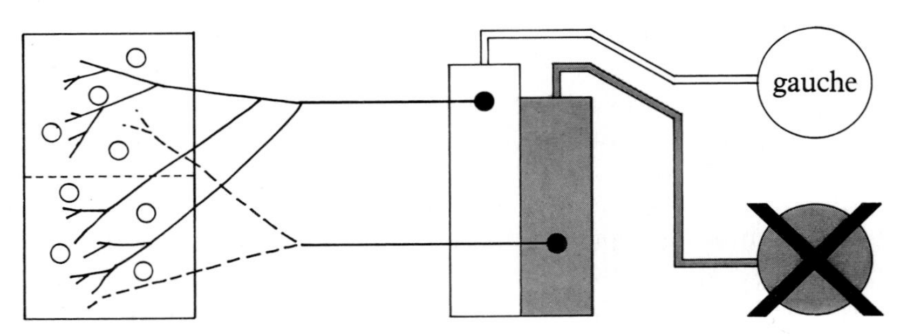

b. Lorsque l'œil droit est fermé, les connexions synaptiques de cet œil ne sont plus stimulées.

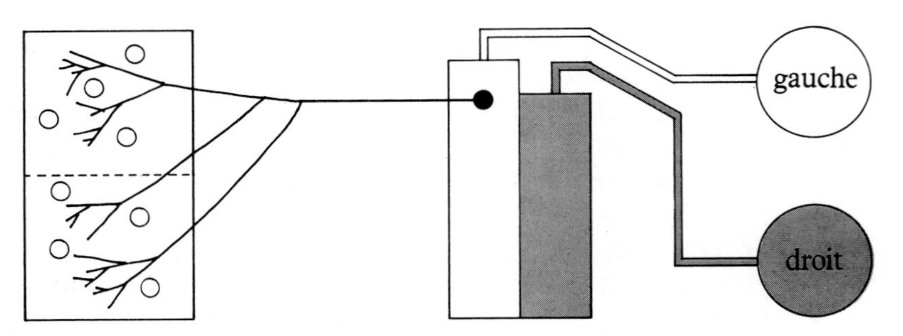

c. L'œil gauche domine donéravant les deux aires de la couche IV.

Conséquence de l'occultation d'un œil sur le développement du cortex visuel

permet aux fibres optiques de rester compétitives et d'établir les bandes de dominance du cortex visuel. En l'absence de stimulations visuelles normales, elles s'effacent fonctionnellement au profit de l'autre œil.

La période critique durant laquelle les deux yeux établissent leurs zones de dominance semble s'étendre chez l'humain sur les six premières années de la vie ; chez le singe cette période s'étend sur les six premiers mois et chez le chat sur les trois premiers mois. C'est une période extrêmement sensible. Si un chaton a un œil fermé ne serait-ce qu'une journée, il verra mal de cet œil lorsqu'il sera adulte.

De ce travail fondamental sur le cortex visuel, il faut tirer une leçon pratique : ne jamais laisser l'œil d'un nourrisson occulté ou fermé trop longtemps. Il vaut mieux lui occulter les deux yeux (d'ailleurs les petits enfants dorment une bonne partie de la nuit et de la journée avec leurs deux yeux fermés). C'est la compétition entre les deux yeux qui détermine notre future acuité visuelle, et pendant la petite enfance cette compétition est acharnée.

Quelle que soit la cellule de la couche IV que l'on considère, celle-ci ne reçoit des informations que d'un seul œil. La zone réceptrice de la rétine qui correspond à une cellule de la couche IV du cortex visuel est le cône ou le bâtonnet transmettant l'information venant de la lumière qui l'atteint. De plus, les zones réceptrices de la rétine sont telles qu'un neurone de la couche IV réagit plus si un stimulus visuel frappe la presque totalité de la zone réceptrice plutôt que sa totalité. L'activité des cellules des autres couches du cortex visuel est sous la dépendance, à des degrés divers, des cellules de la couche IV. C'est ainsi, pensons-nous, que l'architecture du cortex visuel traduit en une image régulière et continue les données lumineuses envoyées par l'œil sous forme de points.

Les cellules des autres couches reçoivent les informations venant des cellules de la couche IV dépendant des deux yeux. Cependant, une cellule donnée peut privilégier un œil par rapport à l'autre. Ainsi, dans chaque petite colonne du cortex visuel, on trouve des cellules qui répondent beaucoup plus à un œil qu'à l'autre. Si les cellules d'une colonne de la couche IV répondent à l'œil droit, les cellules de la même colonne situées dans les autres couches répondront plus à cet œil droit. Inversement, les cellules de la colonne voisine répondront plus à l'œil gauche, et ainsi de suite.

Ensuite, les choses deviennent passionnantes. Les cellules de la couche IV voient des points lumineux. Mais les cellules des autres

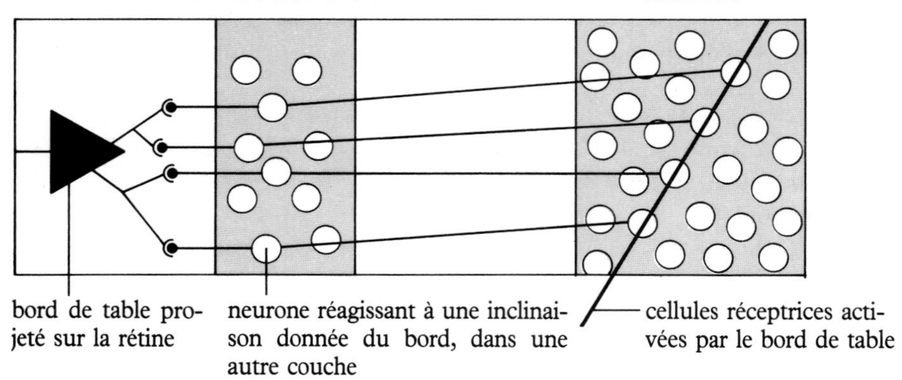

couches voient des lignes et des angles. Si vous regardez une ligne ou un angle, disons le coin d'une table, celui-ci se projette sur la rétine, ce qui active une série de cellules de la couche IV. Chaque cellule réagit au petit point lumineux qui correspond à la partie du coin de table qui frappe la zone réceptrice en question. Une cellule de la couche V n'est alors activée par la couche IV que si la rangée appropriée des cellules de la couche IV est elle-même activée par le coin de table. Cependant la cellule de la couche V « voit » un coin (un angle) et non un point lumineux. La série de points a été, en effet, transformée en une ligne continue.

Plus encore, la cellule ne voit le coin de table que si celui-ci a une orientation particulière, par exemple horizontale. Une cellule voisine ne verra le coin de table que s'il forme avec l'horizontale un angle précis. C'est là que l'organisation du cortex visuel est la plus étonnante. Considérons une colonne cellulaire dominée par l'œil droit ; elle est constituée d'autres petites colonnes, chacune d'elles étant sensible à une ligne présentant une inclinaison donnée. Une petite colonnette réagira mieux aux lignes horizontales, la suivante à une ligne dont l'inclinaison sur l'horizontale est de quelques degrés, et ainsi de suite.

A partir de là, l'histoire se complique encore. Tout ce que nous connaissons avec certitude, c'est la façon dont les différents neurones du cortex visuel répondent aux différentes formes ; toutefois il est raisonnable de penser, à la lumière des exemples que nous avons vus, que la façon dont ces neurones répondent aux stimuli représente la base même de notre expérience visuelle. Par exemple, certains neurones réagissent mieux à l'image de deux lignes formant un angle droit. De tels neurones ont une zone réceptrice aux « angles droits ». Il est souvent dit qu'ils codent les angles droits. En fait, nous ne savons pas ce que ces neurones codent réellement ; nous ne faisons que des hypothèses ou des déductions logiques.

Les détecteurs d'angle, c'est-à-dire les neurones qui répondent à une inclinaison donnée, ont une zone réceptrice simple. Il est facile de comprendre comment une rangée de cellules sensibles aux points lumineux dans la couche IV s'articule avec une cellule détectant les inclinaisons de telle sorte qu'elle ne peut être activée que par des lignes formant entre elles un angle donné, frappant une rangée donnée de cellules réceptrices de l'œil. Cela signifie qu'un neurone détecteur d'angle ne peut répondre que si l'angle regardé se projette sur un point particulier de la rétine.

D'autres types de neurones du cortex visuel sont plus complexes que les récepteurs d'angles ou que les récepteurs de lignes, et sembleraient ne répondre qu'à des tailles ou à des formes précises d'objets.

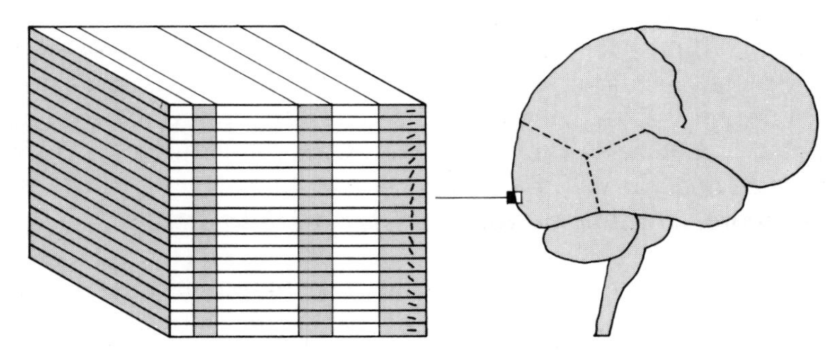

Vue schématique des lames d'orientation du cortex visuel

Nous n'avons parlé, jusqu'à présent, que de l'aire visuelle primaire, c'est-à-dire de la région du cortex visuel qui reçoit les données venant des yeux. Cette aire corticale est une véritable carte de la rétine, de la surface sensible réceptrice de l'œil. (En fait, l'aire visuelle du cortex gauche correspond à la moitié gauche de chaque rétine, et vice versa pour l'aire droite ; mais pour l'instant nous pouvons ignorer ce détail.) Cette cartographie corticale se traduit par le fait que si un faisceau lumineux éclaire une petite partie de la rétine, la région correspondante de l'aire visuelle se trouve mise en jeu. Si nous nous dirigeons plus en avant à la surface du cortex visuel, nous rencontrons une

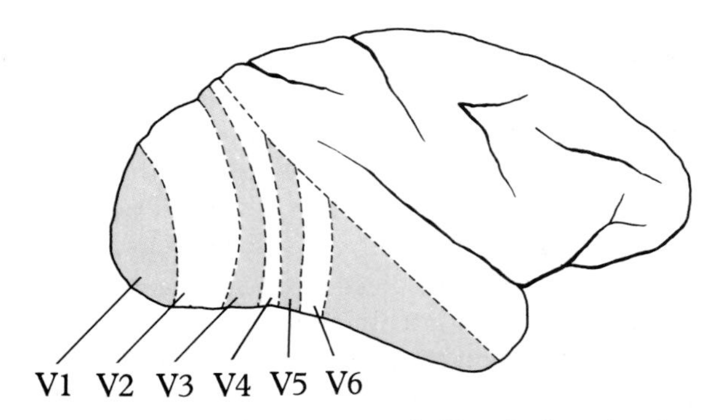

Aires visuelles du cortex cérébral chez le singe

autre aire visuelle sur laquelle se dessine également une véritable cartographie de la rétine. Cependant cette deuxième aire visuelle reçoit plus ses informations de l'aire visuelle primaire que de l'œil lui-même.

Si nous poursuivons encore notre cheminement vers l'avant, nous traversons l'aire visuelle secondaire puis atteignons une troisième aire, et ainsi de suite. Au total, il se peut qu'il y ait jusqu'à quinze aires visuelles dans le cortex du singe, et probablement au moins autant chez l'homme. Chaque aire visuelle a une organisation de base comparable à celle de l'ensemble du cortex : chacune est composée de six couches de cellules neuronales, composées elles-mêmes de plusieurs milliers de colonnettes étendues dans l'épaisseur des six couches.

Par commodité, nous désignerons ces aires visuelles par V1, V2 et ainsi de suite. V1 est le cortex visuel primaire décrit classiquement par les anatomistes ; c'est dans cette zone que se trouvent les neurones dont nous venons de parler : ceux qui voient les points lumineux dans la couche IV, dans les autres couches ceux qui répondent aux droites et aux angles, ainsi que d'autres neurones plus complexes. V1 reçoit dans sa couche IV ses informations visuelles après qu'elles ont été relayées au niveau du thalamus. La plupart des informations de V2 viennent de V1 ; la plupart des informations de V3 viennent de V1 et de V2, et ainsi de suite. Ainsi, l'information visuelle va en s'affinant progressivement de V1 à V2, de V2 à V3, de V3 à V4, etc.

Une autre différence importante entre V1 et les autres aires est que la plupart des neurones situés dans les aires V2, V3 et au-delà répondent de façon identique aux stimuli venant des deux yeux, alors qu'en V1 chaque cellule répond préférentiellement à l'un des deux yeux. Beaucoup de cellules situées en V2 et au-delà répondent de façon un peu différente d'un œil à l'autre. Nous voyons le monde en trois dimensions parce que nous le voyons avec nos deux yeux. Si l'objet contemplé est éloigné, les deux yeux sont presque parallèles. Au contraire, si l'objet se rapproche du visage, les deux yeux louchent de plus en plus vers le nez. Ainsi, l'image de l'objet atteint l'œil en un point un peu différent sur la rétine droite et sur la rétine gauche. La différence d'impression rétinienne est intégrée par le cortex visuel, et cette disparité est à l'origine de notre vision en trois dimensions. Si vous posez votre index sur le bout de votre nez et fermez alternativement un œil puis l'autre, vous verrez l'index se déplacer par rapport aux objets plus éloignés.

Les films en relief utilisent d'ailleurs cette différence d'impression rétinienne. Ils sont réalisés avec deux caméras accolées l'une à l'autre et utilisant des filtres de couleurs différentes. Lorsque vous regardez un de ces films, avec un verre de coloration différente devant chaque œil, le relief apparaît parce que chaque œil voit une série d'images différentes, tout comme cela se passe lorsque l'on regarde le monde avec ses propres yeux. Le fait que les cellules binoculaires (les cellules qui réagissent aux informations venant des deux yeux) des aires visuelles secondaires répondent un peu différemment aux données issues des deux yeux reflète cette différence rétinienne, cette disparité d'impression. Il est très probable que la perception des reliefs repose sur ces cellules binoculaires.

Pourquoi diable y a-t-il tant d'aires visuelles dans le cortex cérébral ? Nous commençons à le savoir grâce aux données de la recherche scientifique. Il semblerait que plusieurs de ces aires secondaires jouent des rôles particuliers dans certains aspects de la vision. Un exemple en est la perception des mouvements. Dans toutes les aires visuelles, les cellules répondent mieux aux objets en mouvement qu'à ceux qui sont immobiles. Cependant, il existe dans une des aires secondaires des cellules qui répondent particulièrement bien au déplacement d'un objet à travers le champ visuel ; ni la forme de l'objet, ni la direction du déplacement ne comptent ; seul importe le mouvement lui-même. Cette aire visuelle paraît donc spécialisée dans la vision des mouvements.

La couleur est une des premières données de la vue. Imaginez que vous ayez à décrire ce que vous voyez à un aveugle de naissance. Il est facile de décrire les volumes, les tailles et les formes des objets, mais il n'y a aucun moyen de décrire les couleurs. La couleur est le fruit de l'expérience. Par exemple, les petits enfants peuvent assortir les couleurs à des modèles bien avant qu'ils ne puissent *nommer* les couleurs. Des expérimentations faites avec des adultes anglophones ont montré que la mémoire des couleurs était meilleure pour les couleurs primaires — rouge, jaune, bleu — que pour les couleurs intermédiaires qui sont plus difficiles à décrire. Ce fait a été attribué, dans un premier temps, à des données culturelles, car dans le monde anglophone les noms des couleurs primaires sont définis par le langage. En fait, ce n'est pas du tout le cas ; des études anthropologiques pratiquées chez des peuples qui n'ont que deux qualificatifs de couleur dans leur langage ont montré qu'ils se souviennent également des trois couleurs primaires alors même qu'ils n'ont de mots pour en décrire que deux. Notre expérience immédiate des couleurs est fournie par les récepteurs spécifiques de l'œil ; nous n'apprenons pas à voir les couleurs ; nous ne faisons qu'apprendre le nom que notre culture leur a donné.

La couleur en tant que telle n'existe pas dans le monde ; elle n'existe que dans l'œil et le cerveau du spectateur. Les objets renvoient de nombreuses ondes lumineuses de longueur variée, mais ces ondes lumineuses en elles-mêmes n'ont pas de couleur. Les animaux ont développé la vision des couleurs afin de différencier les ondes de longueurs différentes. L'œil traduit ces ondes en couleurs selon un processus très simple. Il y a deux types de cellules photosensibles dans la rétine : les cônes et les bâtonnets ; les bâtonnets voient les dégradés de gris et sont surtout sensibles à la lumière tamisée ; dans l'œil humain, il y a aussi trois types de cônes sensibles à la couleur, contenant trois pigments photosensibles différents — rouge, jaune-vert et bleu. Ces récepteurs s'articulent avec les neurones et envoient ainsi au cerveau une information colorée.

Il y a, dans l'aire V1, des neurones qui réagissent à la couleur — plus à une couleur qu'à une autre — plus particulièrement dans la région représentant le centre du champ rétinien. Cette région de vision plus nette ne contient que des cônes, en amas serrés, et aucun bâtonnet. Cependant, en général, le codage de la couleur ne prédomine pas dans les aires visuelles. En revanche, toute une zone visuelle bien individualisée semble consacrée à la perception lumineuse. La plupart des cellules de cette aire sont sensibles et ne répondent individuellement qu'à une étroite bande de longueurs d'onde. De surcroît, d'autres cellules réagissent à toutes les longueurs d'onde que

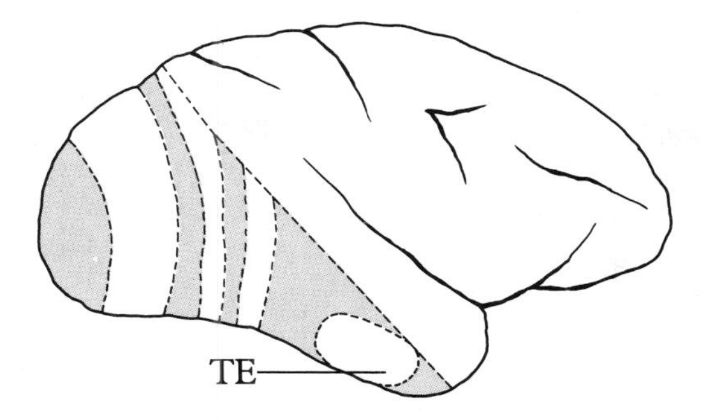

Localisation de l'aire TE dans le lobe temporal du singe

nous voyons en couleur. Ces cellules ne sont pas particulièrement intéressées par la forme, la taille ni le mouvement de l'objet ; elles ne le sont que par sa couleur. On a même trouvé une cellule qui répond mieux au magenta, couleur qui n'appartient pas au spectre normal et qui est produite par la superposition du rouge et du bleu.

Il y a également une autre aire visuelle qui semble spécialisée dans l'appréciation des formes. Le singe, lorsque cette aire est détruite, perd la possibilité de différencier les modèles dessinés sur une feuille. Mais il peut encore différencier des données plus simples comme la taille d'un objet.

La dernière aire visuelle est peut-être la plus remarquable de toutes. Elle reçoit des informations complexes, déjà traitées par d'autres aires visuelles secondaires ; très longtemps, elle n'a d'ailleurs pas été considérée comme une aire visuelle ; lorsque cette aire, appelée TE — elle est située sur le lobe TEmporal — est détruite chez le singe, ce dernier a de grandes difficultés à apprendre certaines tâches visuelles ; mais ceci est le sujet d'un chapitre ultérieur.

Le rôle visuel de l'aire TE a été découvert par hasard. Charles Gross et ses associés, à l'Université de Yale (États-Unis), étudiaient chez le singe les réponses des cellules de cette zone à des stimuli visuels standard : lignes mouvantes, barres et spots lumineux. Les neurones de TE répondaient un peu à ces stimuli simples (mais non au bruit ni au tact) ; TE semblait donc bien être une aire visuelle, mais peu importante. Après avoir étudié longtemps une cellule particulière de cette zone, ils décidèrent d'en étudier une autre. Dans un geste spontané, un des expérimentateurs, pour s'amuser en quelque sorte, leva la main devant les yeux du singe pour l'agiter en signe d'adieu à ladite cellule. A la surprise générale, la cellule réagit alors violemment en déchargeant une importante activité en réponse à la main qui s'agitait. Les expérimentateurs se précipitèrent pour découper dans du papier différentes formes de mains et les montrèrent alors au singe : la cellule étudiée ne répondit franchement qu'à la forme de la main de singe. Ainsi les cellules de l'aire visuelle TE semblent réagir mieux à des formes complexes spécifiques plutôt qu'à des formes simples.

Il y a une vieille controverse sur la manière dont nous voyons le monde qui nous entoure. Apprenons-nous à le voir, ou bien cette vision nous est-elle donnée spontanément par la nature ? La réponse scientifique semble de plus en plus pencher vers la deuxième solution, en raison du rôle déterminant du cortex visuel et de son architecture. Cependant une expérience visuelle normale est essentielle au développement normal et à l'organisation de cette architecture ; nous l'avons vu à propos de l'histoire de Thomas.

Les études sur les aires visuelles secondaires ne font en fait que commencer ; ces aires semblent avoir aussi une structure de base en colonnes, c'est-à-dire qu'elles seraient constituées d'amas de cellules qui ont des propriétés fonctionnelles communes, étendues du sommet à la base de la colonne. Le grand avantage de cette structure est que l'on peut cumuler plusieurs niveaux d'informations dans un volume réduit. Prenons l'exemple de l'aire V1. La surface de V1 représente la carte spatiale de la rétine et donc l'étendue spatiale du monde que nous regardons. Les colonnes les plus grosses contiennent les informations venant soit de l'œil droit soit de l'œil gauche. Au sein de chaque grande colonne de dominance oculaire, il y a de nombreuses petites colonnes, chacune d'entre elles ayant des cellules qui répondent à une orientation spatiale différente. Cette structure quadridimensionnelle permet tout à la fois de représenter l'aire rétinienne au niveau cortical et d'assurer le codage de ce que voit chacun des deux yeux.

L'aire corticale qui représente la peau et la surface corporelle, c'est-à-dire l'aire somato-sensitive, semble organisée selon un schéma identique à celui du cortex visuel, c'est-à-dire avec des zones spécialisées dans chacun des aspects de l'expérience sensitive de la peau. Les neurones d'une zone donnée répondent mieux à un aspect particulier du toucher — effleurement, forte pression... — alors que dans une autre aire corticale les neurones répondent plus aux mouvements des doigts ou des membres. Tout comme le cortex visuel, le cortex somatique évoque une couverture en patchwork : chaque aire est

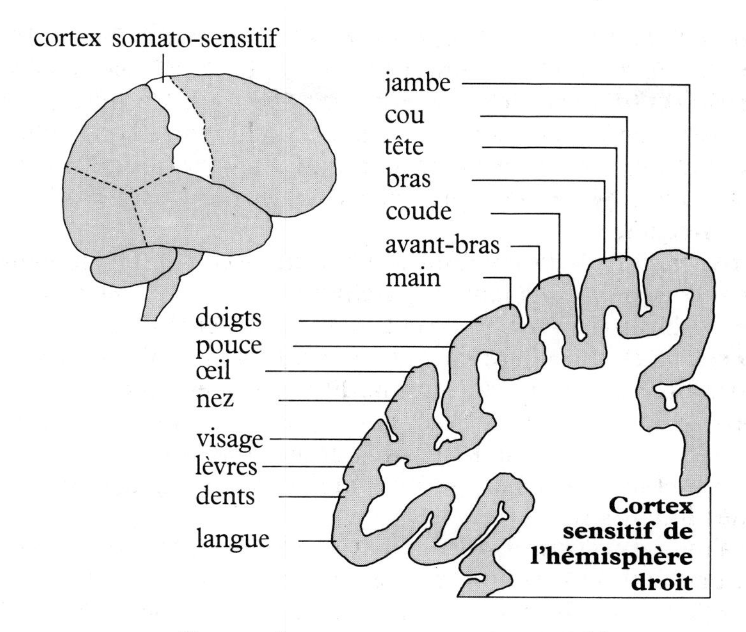

Coupe du cortex somato-sensitif montrant des aires de projection spécifiques

constituée de plusieurs milliers de colonnes de cellules qui codent les multiples aspects des sensations que nous éprouvons dans notre corps et sur notre peau.

Le fait que le cortex cérébral dans son ensemble soit organisé en colonnes a été découvert par Vernon Mountcastle, à l'Université Johns Hopkins (États-Unis), lors d'un travail portant sur le cortex somato-sensitif du chat et du singe. La surface corporelle est représentée sur le cortex somatique selon un schéma évoquant un homoncule (petit personnage). La cartographie du corps humain représentée au niveau cortical est complète, fortement détaillée mais très déformée : chez l'homme une part importante est réservée à la langue, aux lèvres et aux doigts, attributs du comportement de l'*Homo sapiens.* Chez le rat qui explore le monde en grande partie avec son nez et ses moustaches, l'aire corticale du « ratoncule » représentant le nez et les moustaches est très étendue. Chaque poil de moustache a des récepteurs de pression qui transmettent au cortex des informations précises sur les mouvements des moustaches. Chacun de ces poils est représenté par une colonne différente située dans la couche IV. Cette colonne a la forme d'un tonneau : un cylindre de cellules entourant une partie centrale, elle-même pauvre en cellules. Juste à côté du « tonneau » il y a une zone quasiment dépourvue de cellules ; puis on trouve la paroi d'un autre « tonneau ». Lorsque l'on regarde le tissu cortical on peut véritablement voir ces « tonneaux ». Chacun d'eux est une colonne de neurones codant les mouvements d'un seul poil de moustache.

La région du cortex cérébral chargée de l'audition, c'est-à-dire le cortex auditif, est également un patchwork ; mais nous ne savons pas encore quelle est la fonction de chacune des différentes zones. Le fait que la parole et le langage mettent en jeu certaines aires spécialisées du cortex humain comme les aires auditives suggère que celles-ci sont nombreuses et complexes. D'après les quelques renseignements que l'on possède actuellement, les aires auditives semblent — à l'instar du cortex visuel et somatique — être constituées de milliers de petites colonnes fonctionnelles.

Les aires corticales sensorielles — visuelles, somatiques et auditives — ont donc toutes une structure en colonnes. Mais qu'en est-il des aires les plus complexes, c'est-à-dire des aires d'association ? Ces aires associatives représentent les grandes aires du cortex cérébral humain qui ne sont ni sensitives ni motrices mais qui mettent en jeu des processus plus complexes de cognition et de décision. L'aire visuelle TE, où se trouve la cellule de la « main de singe », serait une de ces aires associatives, mais on ne sait pas encore si elle est le siège d'une organisation en colonnes.

Il semble exister dans les aires associatives des colonnes fonctionnelles complexes qui relient les informations venant de la peau et des membres au cortex visuel. Une lésion de ces aires d'association conduit la personne concernée à négliger le monde visuel en rapport avec la zone lésée. De tels patients sont incapables de prêter attention aux stimuli visuels et d'atteindre ou de toucher des objets. Vernon Mountcastle a découvert chez le singe des colonnes de neurones « de commande » dans cette région ; leurs cellules ne se mettaient en action que lorsque l'animal arrivait à toucher un objet qui lui valait une récompense alimentaire. Mobiliser passivement le bras de l'animal ou lui toucher la main n'activait pas ces cellules ; de même le stimulus visuel signalant à l'animal qu'il pouvait obtenir une récompense était inefficace. Ce n'est que lorsque l'animal *décidait* d'atteindre et de toucher l'objet, afin d'avoir sa récompense, que la cellule était activée.

En fait il semble qu'il existe, dans cette aire associative, des colonnes cellulaires réservées à chaque type de mouvements intentionnels du singe. Une colonne répond quand le bras commence à se tendre, une autre lorsque la main manipule l'objet, une autre encore lorsque l'animal bouge délibérément les yeux pour regarder l'objet, et ainsi de suite. Il se pourrait que ce soit dans cette zone d'association que naisse la décision du mouvement volontaire. Cette cellule et cette zone seraient-elles le support de la volonté ?

L'architecture apparemment désordonnée du cerveau se révèle d'autant plus claire que l'analyse se précise. La grande « chambre » visuelle est subdivisée en plusieurs « chambrettes » : les aires corticales visuelles, chacune spécialisée dans une tâche qui lui est propre. L'architecte qui a fait le plan du cortex aimait certainement beaucoup les colonnes : chaque chambre ou chambrette en est remplie ; chacune de ces colonnes représente une petite part de l'expérience visuelle. Mais qu'a donc utilisé l'architecte pour construire la maison elle-même ?

3

LES NEURONES : LES BRIQUES DU CERVEAU

LES NEURONES, LES CELLULES NERVEUSES qui sont le principal constituant du cerveau, sont par bien des aspects les cellules les plus remarquables de la biologie. La plupart des neurones du cerveau sont très petits (bien souvent d'un diamètre égal à quelques millioniémes de mètre) mais extrêmement nombreux.

Le rôle de base d'un neurone est de traiter une information et de la diriger vers d'autres neurones, pour engendrer finalement un comportement et une action. On pense souvent que les cellules nerveuses transmettent une information à d'autres neurones par l'intermédiaire de signaux électriques envoyés le long des fibres nerveuses. Mais ce n'est pas le cas, ainsi que nous allons le voir. Elles génèrent effectivement des champs électriques, suffisamment importants pour que l'on puisse les enregistrer à la surface du cuir chevelu chez l'homme comme chez les autres animaux, mais l'influx nerveux n'est pas comparable à un courant électrique passant dans un fil métallique : il descend le long de la fibre nerveuse beaucoup plus lentement et c'est un processus qui fait intervenir des échanges de particules chimiques entre l'intérieur et l'extérieur de la fibre.

Le cerveau est souvent comparé à un ordinateur et les cellules nerveuses qui le composent à des éléments informatiques ; mais cette analogie n'est pas tout à fait exacte. Le cerveau « vit » : il grandit et évolue alors qu'un ordinateur ne le fait pas ; il est infiniment plus complexe qu'un ordinateur. En fait, c'est chaque neurone du cerveau qui fonctionne comme un ordinateur. Un neurone n'est pas simple-

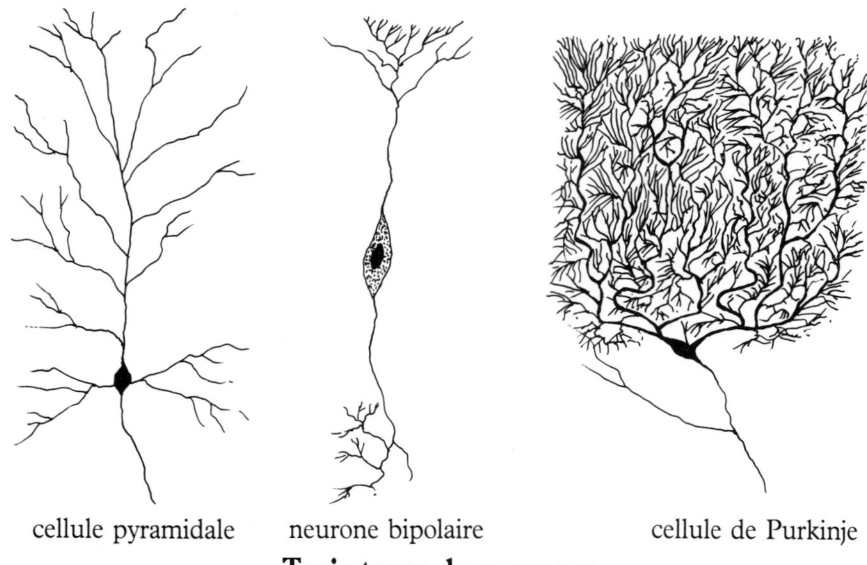

cellule pyramidale — neurone bipolaire — cellule de Purkinje

Trois types de neurones

ment branché ou débranché comme un élément (une « puce ») d'ordinateur. Il traite en permanence l'information venant de milliers d'autres neurones et de messagers chimiques circulant dans le flux sanguin ; il est en communication constante avec de nombreuses autres cellules nerveuses. Pour comprendre à quel point la cellule nerveuse est extraordinaire, il nous faut maintenant savoir ce que sont les cellules, quelle a été leur évolution, et comment elles ont été à l'origine des premiers systèmes nerveux.

L'origine de la vie sur Terre est un puzzle fascinant. Nous ne pouvons, cependant, que faire des hypothèses à partir des fossiles les plus anciens que nous connaissons : les bactéries. Pour autant que nous le sachions, les premières cellules à exister furent en effet les bactéries : cellules primitives dépourvues de noyau. Dans les bactéries, l'ADN (Acide Désoxyribo-Nucléique), qui en est le support génétique, est une longue molécule enroulée sur elle-même, au centre de la cellule. Dans les cellules plus évoluées comme celles qui nous constituent, l'ADN est enfermé dans une structure centrale spécialisée : le noyau.

Le caractère unique de l'ADN indique que toutes les formes de vie existant de nos jours — les bactéries, les plantes, les animaux, les êtres humains — tirent leur origine d'une seule lignée cellulaire. De quelle façon la cellule ancestrale au destin futur si extraordinaire est-elle apparue ? Cela reste pour l'instant un mystère ; ce qui va suivre est une des meilleures hypothèses. Nous soupçonnons qu'à l'origine du monde les océans contenaient de grandes quantités de molécules d'acides aminés, formant ce que l'on appelle la soupe organique. Ces molécules (les acides aminés) sont les éléments de base (les « briques ») de la vie, mais sont incapables de se reproduire.

A un moment donné est apparue une molécule remarquable. Peut-être n'était-elle pas la molécule la plus complexe, mais elle avait la qualité unique de se reproduire ; c'est pourquoi elle a été appelée la molécule répliquante. A la lumière des connaissances chimiques modernes, il n'est pas trop difficile d'imaginer comment une telle molécule fonctionne et a fonctionné. Si elle est suffisamment grosse, elle sera constituée d'unités plus petites — les « briques ». Supposons que chaque « brique » soit un composé relativement simple qui exerce une attraction chimique sur un composé identique flottant dans la soupe organique. Si la molécule répliquante est une longue chaîne de tels composés, elle reproduira une chaîne identique qui lui sera accrochée. Lorsque les deux chaînes se sépareront, chaque nouvelle molécule répliquante synthétisera une autre molécule, et ainsi de suite. Comme la composition chimique de l'ADN est la même pour tous les êtres vivants, il apparaît que nous descendons tous non pas d'une cellule unique, mais d'une molécule répliquante unique.

La Terre a été formée il y a environ quatre milliards et demi d'années. La première vie est apparue un milliard d'années plus tard. Dans une très vieille formation montagneuse de l'Ontario (Gun Flint), au Canada, on a retrouvé des fossiles des premières formes de vie sur Terre : des bactéries primitives. Ces bactéries étaient inefficaces, car elles ne pouvaient pas fournir correctement de l'énergie, et par conséquent ne pouvaient pas non plus en utiliser. Environ cinq cents millions d'années plus tard, certaines de ces bactéries développèrent la possibilité d'extraire de l'énergie à partir de la lumière solaire et du gaz carbonique, et de libérer de l'oxygène comme le font les plantes modernes. A partir de là apparurent les types cellulaires supérieurs : les eukaryotes (du grec pour « bon noyau »). Les eukaryotes qui constituent tous les animaux et toutes les plantes plus complexes que les bactéries et qui ont un noyau bien développé contiennent de l'ADN, ainsi que d'autres structures microscopiques.

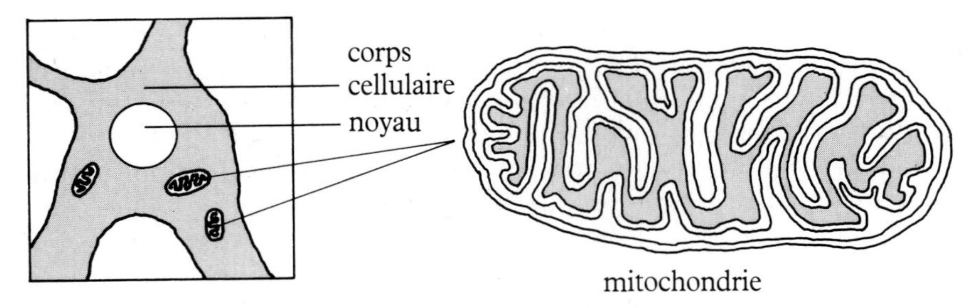

Mitochondries

Les mitochondries (du grec pour « pain et grain ») sont de toutes petites structures cellulaires ; elles ont la forme de minuscules ballons de football. Leur fonction première, simple et essentielle à la vie de la cellule, est la fabrication d'énergie. Tous les processus cellulaires nécessitent de l'énergie (cette énergie vient essentiellement d'une forme de sucre, appelée glucose, qui est obtenue par la transformation, dans le système digestif, de certaines substances alimentaires). Les mitochondries se trouvent donc là où sont métabolisés le glucose et d'autres substances alimentaires pour fournir l'énergie biologique.

Les mitochondries sont de petits organes remarquables par le fait qu'ils ont leur vie propre. Quand une cellule se divise, chaque nouvelle cellule contient des mitochondries venant de la cellule-mère ; cela devrait entraîner l'épuisement rapide des mitochondries au fur et à mesure des divisions cellulaires. Or il n'en est rien, car les mitochondries elles-mêmes se divisent pour former de nouvelles mitochondries dans chaque cellule. Chaque mitochondrie possède son propre matériel génétique — l'ADN — et se reproduit. Comme il est beaucoup plus simple de fabriquer une mitochondrie qu'un nouvel animal, son ADN est beaucoup plus petit et plus simple que celui que l'on trouve dans les noyaux cellulaires. Un autre point étonnant concernant les mitochondries est que toutes vos mitochondries viennent de votre mère ; la lignée mitochondriale est uniquement maternelle.

Par la plupart de ses aspects, la mitochondrie ressemble à une bactérie. Elle a un ADN mais pas de noyau, et elle fabrique sa propre énergie. De nombreux biologistes pensent que les ancêtres des mitochondries étaient des bactéries libres, qui pénétrèrent un jour dans d'autres cellules où elles devinrent des parasites très spécialisés, ou plus exactement des symbiotes (du grec pour « vivant ensemble ») ; et en effet, la cellule dépend totalement de la mitochondrie pour la fabrication et la production de son énergie. La mitochondrie, par ailleurs, bien qu'elle puisse se reproduire, ne peut pas fabriquer toutes les protéines dont elle a besoin ; certaines de celles-ci sont synthétisées par l'ADN de la cellule-hôte.

La membrane cellulaire sépare la cellule du monde extérieur ; c'est la frontière fonctionnelle de la cellule. Tout échange entre la cellule et le monde extérieur doit transiter d'une façon ou d'une autre à travers ou par l'intermédiaire de la membrane. Celle-ci ressemble à une bulle de savon : elle est très fine et constituée d'acide gras. Cela semble bien fragile pour protéger la cellule du monde extérieur, mais c'est tout à fait efficace.

Diverses molécules protéiques sont éparpillées dans la membrane, flottant littéralement à l'intérieur de celle-ci. Certaines de ces molécules sont suffisamment grandes pour s'étendre sur toute l'épaisseur de la membrane, mais la plupart d'entre elles ont tendance à rester au contact soit de sa face externe soit de sa face interne. Une molécule protéique proche de l'extérieur reste généralement de ce côté-là ; elle peut flotter le long de la bordure extérieure de la membrane mais ne va pas vers l'intérieur. Il en est de même pour les molécules qui sont du côté intérieur. Ces protéines ont des chaînes latérales qui ont tendance à pointer en dehors de la membrane, soit vers l'extérieur soit vers l'intérieur de la cellule.

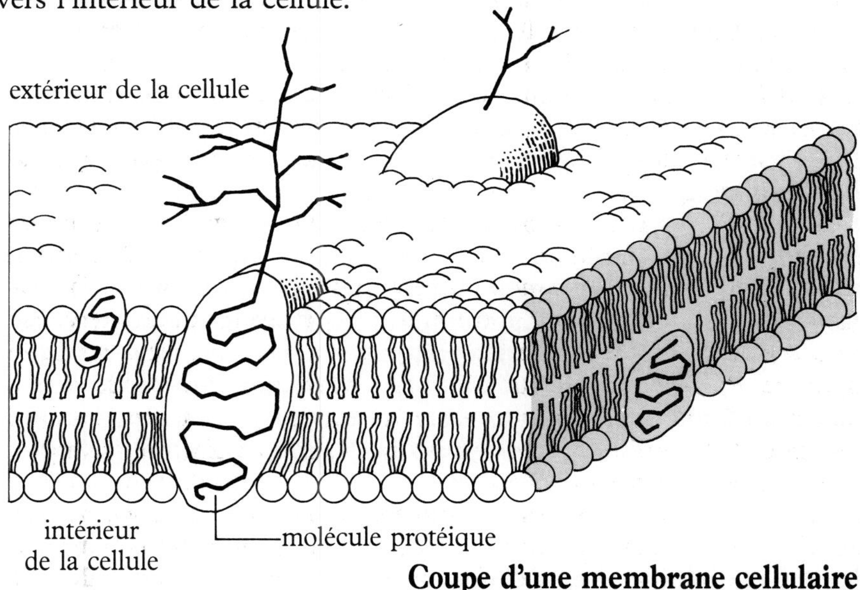

Coupe d'une membrane cellulaire

On pense que les protéines et leurs chaînes latérales sont les récepteurs chimiques de la membrane cellulaire. La notion de molécule réceptrice est devenue fondamentale en biologie cellulaire et pour notre compréhension du système nerveux. L'idée de base est qu'une protéine donnée reconnaît une substance chimique donnée. Si cette substance est située en dehors de la cellule, les molécules qui la constituent vont s'accrocher à la protéine membranaire un peu comme une clé s'emboîte dans une serrure, entraînant des modifications dans la membrane cellulaire et dans la cellule.

Après l'apparition des cellules sophistiquées comportant un noyau et des mitochondries, le développement de la vie s'est accéléré. Pendant le demi-milliard d'années qui a suivi, les cellules se sont regroupées pour devenir des organismes multicellulaires. L'éponge est un exemple des formes primitives d'organismes pluricellulaires dépourvus de système nerveux. Une éponge ne se déplace pas ; s'il y a dans l'eau les éléments suffisants, elle vit ; sinon elle meurt.

La première cellule nerveuse est apparue chez des animaux du genre anémone de mer ou méduse. Ces organismes représentent un grand progrès par rapport à l'éponge car ils ont un *comportement* ; ainsi, la méduse nage pour capturer les éléments nutritifs dont elle a besoin.

Pour qu'un animal pluricellulaire comme une méduse puisse se déplacer, il faut que ses cellules soient conçues en conséquence ; de fait, certaines cellules se sont spécialisées pour devenir un tissu musculaire capable de se contracter. Pour que ces mouvements aient une efficacité, il faut une coordination, ne serait-ce que pour qu'ils aient lieu en même temps. Cette tâche nécessite la présence de cellules nerveuses.

Pour autant que l'on sache, toutes les cellules nerveuses de tous les animaux — de la méduse à l'être humain — utilisent les mêmes mécanismes électrochimiques de base pour conduire une information. Il semblerait que le mécanisme primitif de la cellule nerveuse de la méduse ait fonctionné si bien qu'il n'a pas été nécessaire de le modifier au cours de l'évolution. Pour engendrer un comportement plus compliqué et donc plus souple, tout ce dont on a besoin est de brancher de nouvelles cellules nerveuses les unes aux autres selon un schéma plus complexe.

Les cellules nerveuses sont des eukaryotes et ressemblent aux autres cellules du corps humain. Elles ont toutes un noyau contenant de l'ADN, une membrane cellulaire recouvrant toute la cellule, des

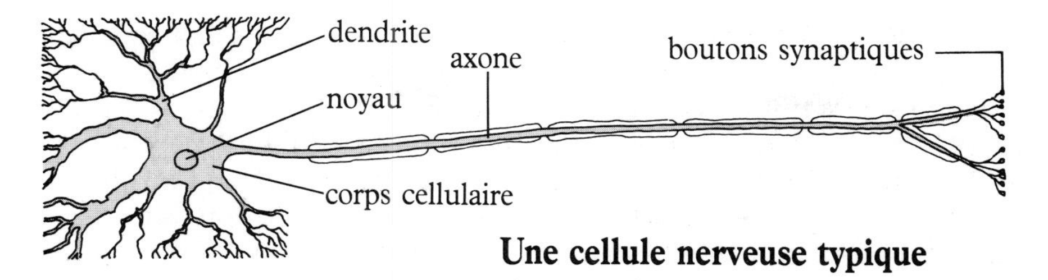

Une cellule nerveuse typique

mitochondries ainsi que d'autres organites intracellulaires. Les cellules nerveuses ne diffèrent de la plupart des autres cellules que par certains aspects. Un point important est qu'elles se sont spécialisées dans la transmission des informations d'une cellule à l'autre par l'intermédiaire de longues fibres qui partent du corps cellulaire. Il n'y a qu'une fibre — l'axone (du grec *axis* : « axe ») — qui transporte l'information aux autres cellules. Toutes les autres fibres qui partent du corps cellulaire sont des dendrites (« arbre » en grec) et reçoivent l'information qui est apportée par les axones des autres cellules nerveuses. Chez les humains, l'axone peut atteindre 90 centimètres de long alors que les dendrites sont toujours très courts (moins de un millimètre).

Au XIXe siècle, il était généralement admis que tous les êtres vivants étaient constitués de cellules, de l'organisme unicellulaire le plus primitif — la bactérie — jusqu'à l'être humain. La théorie cellulaire de la vie devint le grand principe unificateur de la biologie ; mais de façon surprenante, et jusqu'au début du XXe siècle, de nombreux anatomistes pensèrent que le cerveau était une exception et qu'il n'était pas constitué de cellules individualisées.

Pour voir les cellules avec un microscope il faut les colorer à l'aide de certaines substances. Si un fragment de tissu cérébral est traité avec un réactif qui colore tous les éléments cellulaires, il apparaîtra comme une masse uniforme faite d'un fouillis de fibres, d'organites et de noyaux cellulaires. A la fin du XIXe siècle, un anatomiste italien, Camillo Golgi (1844-1926), mit au point une teinture spéciale qui ne colore que quelques neurones d'un prélèvement mais les colore complètement ; il est possible alors de voir en entier les cellules nerveuses avec toutes leurs fibres et leurs organites. La découverte de cette substance a été, en réalité, le fait du hasard : elle est due à une femme de ménage qui jeta un fragment de tissu cérébral dans une poubelle dans laquelle se trouvait une solution de nitrate d'argent.

Golgi lui-même ne croyait pas encore que le cerveau soit constitué de cellules nerveuses individualisées. Mais un autre anatomiste, un Espagnol, Santiago Ramón y Cajal (1812-1934), utilisa systématiquement la technique de Golgi sur des cerveaux d'animaux et put établir que toutes les parties du cerveau sont effectivement constituées de cellules nerveuses individualisées. Cajal entreprit alors l'immense tâche de préciser les schémas d'interconnexion et de relation entre les neurones du cerveau — ses circuits intégrés, pour ainsi dire.

Le neurone est l'unité fonctionnelle du cerveau. Il reçoit des informations par ses dendrites, les intègre et les traite dans les corps cellulaires, puis les redistribue à d'autres neurones et à d'autres cellules par l'intermédiaire de son axone. L'axone se divise en de nombreuses petites fibres terminales ; chacune de ces terminaisons forme avec une autre cellule une connexion fonctionnelle que l'on appelle la synapse. Il existe un tout petit espace dans la synapse entre la terminaison axonale et le corps ou le dendrite de la cellule sur laquelle elle se termine. Pour autant que l'on sache, un neurone ne communique avec les autres neurones (ou avec des cellules musculaires ou glandulaires) que par ces petites jonctions synaptiques. La synapse est donc la connexion fonctionnelle qui permet aux neurones de communiquer entre eux.

Un neurone cérébral donné peut avoir plusieurs milliers de jonctions synaptiques avec d'autres neurones et s'articuler à son tour avec de nombreux autres neurones. Si le cerveau humain possède 10^{11} neu-

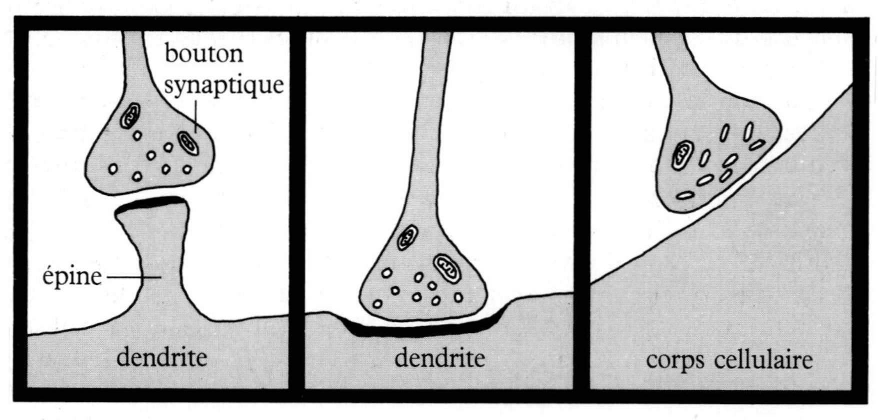

Synapse en épine	Synapse activatrice	Synapse inhibitrice

Synapses typiques

rones (100 milliards), il doit y avoir au moins 10^{14} synapses (100 000 000 000 000). Il est cependant intéressant de souligner que le nombre possible de synapses entre les neurones dans un cerveau humain est théoriquement sans limites.

Les neurones et les autres cellules ont une différence majeure : à partir d'un certain stade les cellules nerveuses ne se multiplient plus. Lorsque l'organisme se développe à partir de l'œuf fécondé, les neurones se multiplient pour former le cerveau et le système nerveux au rythme fantastique de 250 000 cellules par minute, et ce durant les neuf mois de la gestation de l'embryon et du fœtus humain. A la naissance, ce processus est presque arrêté ; à ce moment-là, dans certaines parties du cerveau, il y a plus de cellules qu'il n'y en aura jamais, car certaines d'entre elles mourront. Nous ne savons pas clairement pourquoi aucune nouvelle cellule nerveuse n'apparaît après la naissance ; la réponse ultime est certainement profondément enfouie dans les gènes.

On peut cependant supposer que, certains comportements étant le résultat de l'assemblage spécifique de connexions interneuronales, la division cellulaire et l'apparition de nouveaux neurones amèneraient la disparition de ces connexions.

Il semble y avoir une exception assez étonnante à cette règle. Chez le canari mâle l'aire corticale du chant double de taille au printemps lorsque l'oiseau chante pour attirer les femelles. Après la saison des amours, l'aire du chant du canari se rétrécit et l'oiseau oublie son chant. Au printemps suivant, l'aire du chant se développe à nouveau et le canari mâle réapprend un nouveau chant. Imaginez ce que serait la vie pour nous si nos cerveaux étaient comme ceux des canaris mâles. Tous les ans, nous oublierions tout ce que nous aurions appris au cours de l'année écoulée, et il nous faudrait tout réapprendre à chaque fois. L'apparition chaque année de nouveaux circuits dans le cerveau du canari semble être due à un développement tout à fait particulier dont le but est d'assurer un type d'apprentissage très spécialisé ; il s'agit vraiment d'apprentissage puisque tous les ans le canari apprend un chant différent. Le reste du cerveau du canari ne subit aucune modification ; les circuits responsables d'autres aspects de son comportement ne grossissent ni ne régressent ; seule le fait l'aire corticale du chant.

Pour autant que nous sachions, aucun processus spécialisé comparable n'existe dans le cerveau des mammifères. La totalité des neurones sont présents peu après la naissance et aucune nouvelle cellule nerveuse ne naîtra ; cependant l'expérimentation suggère que même chez le mammifère les neurones peuvent « bourgeonner » et faire apparaître de nouvelles terminaisons synaptiques. Peut-être même un jour s'apercevra-t-on que l'apparition de nouveaux neurones peut être provoquée.

Comme pour les autres cellules, le corps du neurone est une véritable usine chimique qui fabrique les nombreuses substances dont le neurone a besoin. Les neurones ont dû résoudre le problème particulier consistant à faire descendre des substances chimiques le long de l'axone. Jusqu'à l'apparition du microscope électronique, de nombreux savants pensaient que l'intérieur de l'axone n'était qu'une substance amorphe et gélatineuse. Nous savons maintenant qu'il est rempli de tubes minuscules qui conduisent les substances chimiques du corps neuronal jusqu'au bouton synaptique (ceci est facile à démontrer : si l'axone est lié, il gonfle progressivement en amont de la zone de ligature). Les synapses peuvent également récupérer des substances chimiques et les transporter à contre-courant le long de l'axone jusqu'au corps cellulaire.

Les mouvements chimiques le long de l'axone, dans un sens ou dans l'autre, se font relativement lentement (en général plusieurs heures pour couvrir la distance allant du corps cellulaire aux terminaisons synaptiques). Ces mouvements chimiques sont essentiels à la fonction neuronale, mais ce ne sont pas eux qui permettent à un neurone de communiquer avec d'autres cellules. Un neurone « parle » avec d'autres neurones très rapidement, en quelques millièmes de secondes.

La partie la plus importante du neurone est la synapse ; seuls les neurones et leurs cellules-cibles ont des synapses. Si l'on examine une coupe de tissu cérébral au microscope optique (qui ne grossit pas autant qu'un microscope électronique ; ce dernier utilise un rayon d'électrons et non un faisceau de lumière ordinaire), on voit une quantité ahurissante de jonctions entre les cellules nerveuses. Mais il existe, en fait, deux types principaux de synapses : les synapses chimiques et les synapses électriques. La plupart des synapses du cerveau des mammifères sont chimiques, de sorte que nous concentrerons notre étude sur celles-ci et non sur celles pourtant tout à fait passionnantes des invertébrés, qui sont de type électrique.

Toutes les synapses chimiques ont des caractéristiques communes qui permettent de les identifier. La plus évidente est la présence d'un grand nombre de petites sphères, ou vésicules, groupées dans la

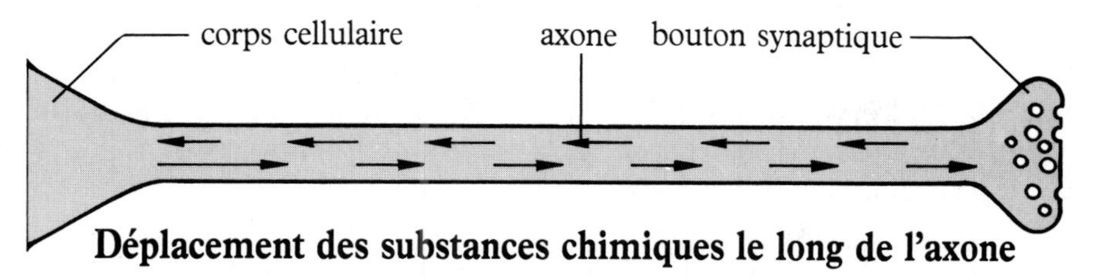

Déplacement des substances chimiques le long de l'axone

terminaison pré-synaptique à l'extrémité de l'axone, c'est-à-dire juste avant l'espace synaptique. Ces vésicules contiennent les neurotransmetteurs chimiques de la synapse. De l'autre côté de la synapse, la membrane de la cellule-cible, c'est-à-dire les neurones sur lesquels agit la synapse, présente une zone d'épaississement qui apparaît en sombre au microscope électronique. Entre les membranes pré-synaptique et post-synaptique se trouve un espace appelé l'espace synaptique. Cet espace est toujours présent ; il est uniforme, très petit, mais il existe.

Quand une synapse est en activité et transmet une information, les vésicules semblent relâcher leur contenu de neurotransmetteurs chimiques dans l'espace synaptique. Les molécules chimiques traversent l'étroit espace synaptique et se fixent sur les molécules réceptrices de la membrane post-synaptique. Il en résulte une activation de la cellule-cible.

Imaginez que vous soyez suffisamment minuscule pour pouvoir vous tenir dans l'espace synaptique, debout sur la membrane post-

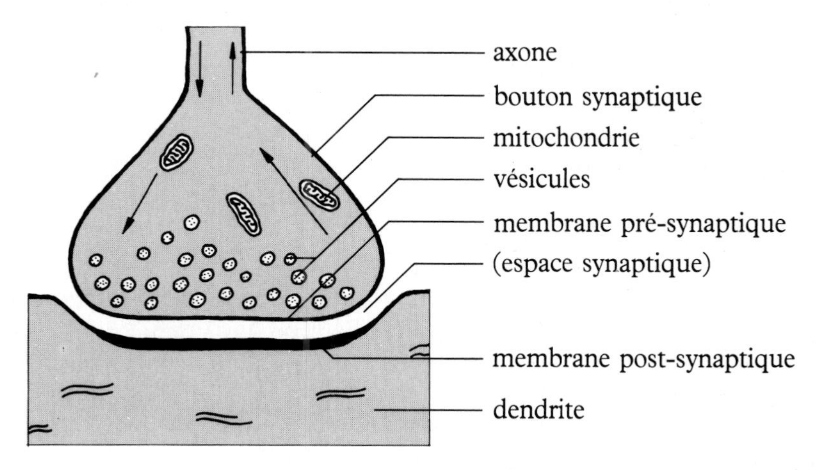

Détail d'une synapse

synaptique de la cellule-cible et regardant la terminaison axonale. Lorsque arrive l'influx nerveux vous voyez s'ouvrir de grands orifices dans le bouton synaptique, et une centaine de vésicules déchargent quelques milliers de molécules de neurotransmetteurs. Cela ressemble à une brusque et courte averse orageuse.

Les neurones utilisent pour communiquer entre eux des types de « langages » tout à fait différents. L'un d'eux est l'influx nerveux, également appelé potentiel d'action ; c'est un phénomène qui prend naissance à l'origine de l'axone, près du corps cellulaire, et qui descend le long de celui-ci jusqu'à sa terminaison. Lorsque l'influx arrive aux boutons axoniques qui constituent les synapses, le potentiel d'action s'arrête et disparaît. Mais il a rempli son rôle, car en atteignant la terminaison axonale il a déclenché un processus entièrement différent : le transfert de l'information à travers la synapse jusqu'à la cellule-cible, c'est-à-dire jusqu'aux neurones auxquels est destinée l'information. La transmission synaptique est un autre langage neuronal. Ainsi que nous l'avons vu, le processus en est la libération, par les vésicules, des molécules des transmetteurs chimiques qui vont se fixer sur les molécules réceptrices de la membrane de la cellule-cible.

L'influx nerveux répond à la loi du « tout ou rien » ; une fois suscité à l'origine de l'axone, il s'épanouit complètement et descend sur toute la longueur de celui-ci. C'est toujours la même chose dans tous les axones, sauf en ce qui concerne la vitesse de l'influx. Celle-ci est déterminée par le diamètre de l'axone ainsi que par d'autres propriétés de celui-ci ; elle s'échelonne de 1,5 km/h à près de 250 km/h.

La transmission synaptique est tout à fait différente. Elle est graduelle et ne répond pas à la loi du « tout ou rien ». L'intensité de l'action synaptique dépend de nombreux facteurs, parmi lesquels le nombre de molécules chimiques libérées et le nombre de synapses mises en action vers un même neurone.

La plupart des ordinateurs sont des ordinateurs digitaux dans lesquels chaque élément est branché ou non (tout comme le potentiel d'action du neurone, qui existe ou n'existe pas). Cependant il existe aussi des ordinateurs analogiques qui utilisent des quantités variables d'électricité, un peu comme les synapses des cellules nerveuses. Chaque neurone se conduit comme un ordinateur qui serait à la fois digital et analogique.

C'est donc ainsi que fonctionne la cellule nerveuse, la « brique »

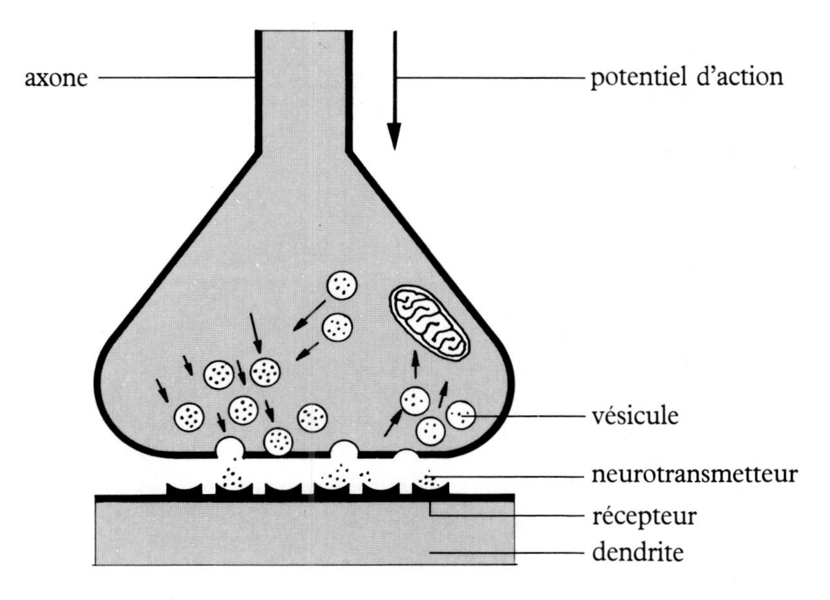

Détail de la transmission synaptique

du cerveau. Tous les systèmes nerveux sont constitués de tels neurones, de quelques centaines chez les invertébrés simples à plusieurs milliards chez les humains. Depuis cette simple machine réflexe qu'est l'anémone de mer jusqu'à cet être vivant à l'intelligence imposante qu'est l'être humain, le type de créature que nous sommes est déterminé par le nombre de neurones présents et par leur organisation.

Nous nous concentrerons maintenant sur l'influx nerveux. Les propriétés spéciales du neurone qui lui permettent de conduire l'information vers d'autres cellules résident dans la membrane qui le recouvre. La structure générale de la membrane cellulaire du neurone est identique à celle des autres membranes cellulaires ; elle a le même rôle de protection et d'échange chimique entre les milieux extérieur et intérieur à la cellule. Elle est en effet traversée par de minuscules orifices ou canaux qui permettent à certaines petites molécules de passer à travers. Lorsque les premières cellules nerveuses apparurent chez les animaux inférieurs comme les méduses, certains de ces canaux se sont spécialisés pour permettre à un message — un influx nerveux — de sortir de l'axone pour passer d'une cellule à l'autre.

L'influx nerveux est un mouvement de particules chimiques à

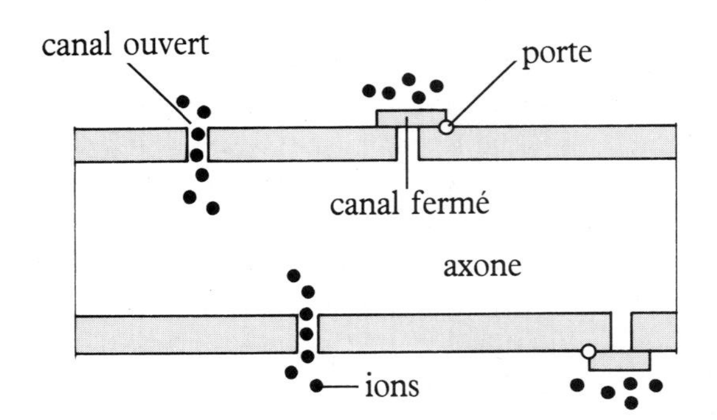

Coupe schématique de la membrane axonale

travers la membrane axonale ; ce mouvement ne survient que dans la petite région de l'axone où l'influx se trouve à un moment précis. La principale particule qui traverse la membrane de l'axone est l'atome de sodium, sous la forme d'un atome chargé électriquement, c'est-à-dire d'un ion Na +.

Imaginez l'axone comme un long tube fin recouvert par la membrane cellulaire. A l'intérieur de la membrane se trouve le milieu intérieur de l'axone, en dehors, le fluide tissulaire, extracellulaire. Ces deux fluides extérieur et intérieur ont des compositions chimiques différentes. Par exemple, à l'intérieur de l'axone il y a beaucoup de protéines et très peu de sodium. Le milieu extérieur est au contraire pauvre en protéines et riche en sodium. L'événement fondamental lors de l'influx nerveux est le mouvement des molécules de sodium qui, à travers la membrane cellulaire, vont de l'extérieur vers l'intérieur de la cellule. Elles traversent les petits canaux membranaires ; ces canaux de sodium sont normalement fermés, mais quand l'influx nerveux se constitue ils s'ouvrent très brièvement, juste assez pour laisser entrer le sodium. Pour comprendre comment cela se passe il faut s'intéresser à l'aspect électrique de l'influx nerveux. Les cellules nerveuses génèrent des courants électriques, si importants qu'il est facile d'enregistrer avec des électrodes cette activité électrique à la surface du cuir chevelu. Mais pour bien saisir cet aspect électrique il faut aussi être un peu chimiste. Les particules de sodium, qui vont de l'extérieur vers l'intérieur de la membrane axonale pendant le potentiel d'action, sont à l'état d'ions, c'est-à-dire de particules électriquement chargées.

Le sel de table est composé d'ions sodium et d'ions chlorure. Lorsque vous faites fondre du sel dans de l'eau, les atomes de sodium et de chlorure sont présents avec leurs charges électriques, chaque atome de sodium ayant une charge + 1 et chaque atome de chlorure une charge − 1. Les atomes sont composés d'un noyau entouré d'électrons. Le noyau est constitué de protons positivement chargés et de neutrons (non chargés). Il est entouré d'électrons chargés négativement. Il y a dans un élément comme le sodium le même nombre de protons dans le noyau que d'électrons autour de celui-ci, de sorte que l'atome est électriquement neutre. L'élément sodium est un métal très toxique et explosif ; il réagit particulièrement avec l'eau : si vous jetez un morceau de sodium pur dans l'eau, il explose.

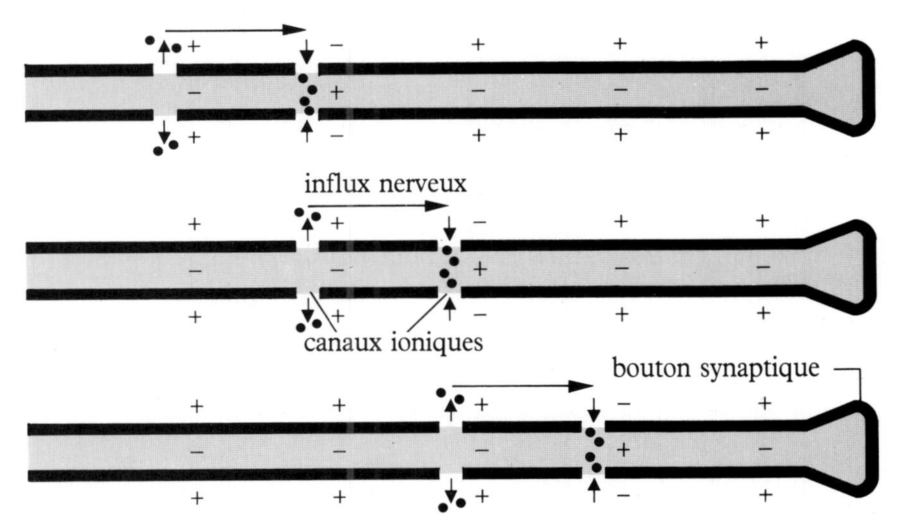

Cheminement de l'influx nerveux le long de l'axone

L'élément chlore est un gaz verdâtre, toxique. Ses atomes ont autant de protons dans le noyau que d'électrons tournant autour ; c'est un élément électriquement neutre mais très réactif. Pourquoi ces éléments simples sont-ils si volatils ?

Les électrons tournent autour du noyau sur des orbites. L'orbite la plus interne doit avoir deux électrons pour être complète et les autres orbites, huit électrons. Les atomes sont très stables si leur orbite la plus externe a son contingent de huit électrons. L'hélium, le gaz inerte et non explosif utilisé pour les ballons dirigeables, n'a qu'une orbite interne de deux électrons (équilibrée par les deux protons du noyau). Les atomes les plus réactifs sont ceux qui n'ont

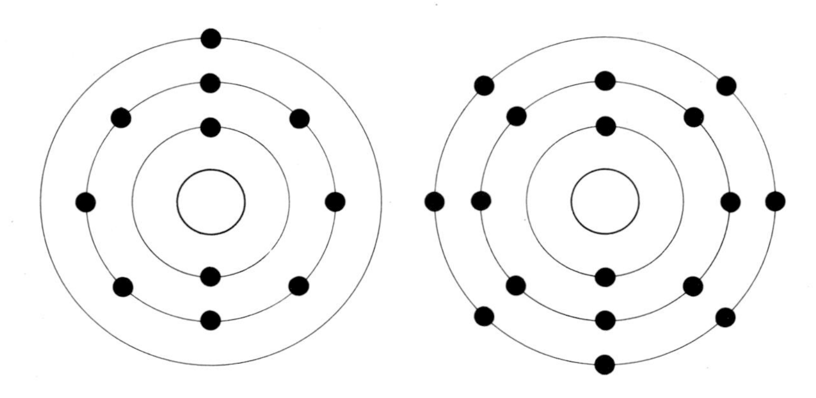

Atome de sodium
11 protons (+)
11 électrons (−)
(électriquement neutre)

Atome de chlore
17 protons (+)
17 électrons (−)
(électriquement neutre)

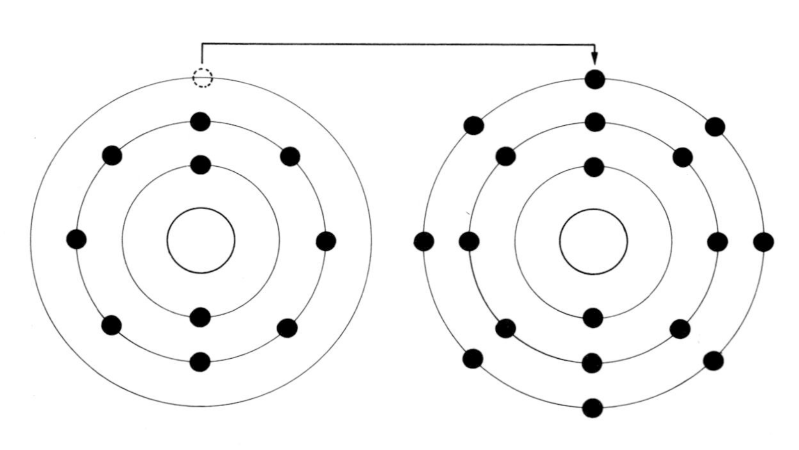

Ion sodium
11 protons (+)
10 électrons (−)
(a perdu un électron)

Ion chlorure
17 protons (+)
18 électrons (−)
(a gagné un électron)

Un électron de l'orbite externe de l'atome de sodium est allé sur l'orbite externe de l'atome de chlore, entraînant un déséquilibre électrique et faisant d'eux des ions.

sur leur orbite externe qu'un seul électron (dont ils cherchent à se débarrasser) ou auxquels il manque un électron sur cette même orbite externe (ils cherchent alors à récupérer un électron d'un autre atome). Le sodium n'en a qu'un, alors que l'ion chlore en a sept. Si les éléments sodium et chlore sont mis en présence, ils réagissent immédiatement et violemment. Chaque atome de sodium donne son électron externe à l'atome de chlore qui complète ainsi son orbite externe. Le résultat est le sel de table. Chaque atome de sodium a alors un électron de moins autour de son noyau et a dorénavant une charge électrique positive de + 1 ; chaque atome de chlore a un électron de plus qu'il n'a de protons et est chargé négativement : — 1. Ils sont devenus des ions, c'est-à-dire des atomes avec des charges électriques. L'atome de chlore change de nom et devient un ion chlorure, si bien que le sel de table est du chlorure de sodium et non pas du chlore-sodium.

Les substances chimiques dissoutes dans l'eau sont typiquement sous forme d'ions électriquement chargés. Seuls quelques ions — sodium, chlorure, potassium et calcium — sont concernés par l'activité neuronale. Les molécules de protéines, ces grosses molécules constituées d'acides aminés qui sont le substrat de la vie, sont situées essentiellement à l'intérieur des cellules de l'organisme, y compris dans les neurones, et non en dehors comme dans le sang ou les liquides extracellulaires. Comme les ions chlorure, les protéines dissoutes dans l'eau ont une charge négative, si bien qu'il y a plus de charges négatives à l'intérieur des neurones et des autres cellules qu'il n'y en a à l'extérieur ; la conséquence est qu'il existe une différence de potentiel de part et d'autre de la membrane d'un neurone : l'intérieur est négatif par rapport à l'extérieur. Cette différence de voltage est étonnamment élevée puisqu'elle avoisine un dixième de volt et que l'activité de plusieurs cellules regroupées avoisinerait celle d'une pile électrique. Ce n'est pas une image de rhétorique puisque le gymnote (l'anguille électrique) peut générer une activité de plusieurs centaines de volts qui lui permet de tuer un gros poisson. On peut même imaginer que le mécanisme utilisé par les cellules nerveuses pour produire de l'électricité puisse être un jour utilisé comme source d'énergie.

L'influx nerveux est donc un processus qui fait intervenir les ions sodium, chargés positivement. Au repos, presque tous les ions sodium sont situés en dehors du neurone. La présence des protéines intracellulaires rend négative la charge électrique à l'intérieur du neurone (par rapport à l'extérieur), ce qui crée une forte attraction électrique qui attire le sodium de l'extérieur vers l'intérieur de la cellule. Cette pénétration rapide des ions sodium positifs est à l'origine de l'influx nerveux.

Pourquoi et comment les canaux de sodium s'ouvrent-ils ? Il ne faut en réalité qu'une petite modification du voltage intracellulaire pour déclencher les mécanismes de l'influx, c'est-à-dire l'ouverture des canaux de sodium. Ceux-ci sont activés lorsque est atteint le seuil électrique de déclenchement : les canaux s'ouvrent alors brutalement selon un mécanisme qui répond à la loi du « tout ou rien », et font apparaître le potentiel d'action ou influx nerveux.

Lorsque cet influx apparaît à un endroit donné de la membrane axonale (et il apparaît sur toute la circonférence de l'axone), les canaux de sodium, qui s'ouvrent brutalement, agissent comme des interrupteurs électriques. Le mécanisme de l'influx nerveux se déplace ensuite de proche en proche jusqu'à l'extrémité de l'axone ; les canaux de sodium situés à côté de ceux d'où est parti l'influx sont encore fermés ; mais la pénétration des ions sodium positifs amène ceux-ci à se regrouper derrière la membrane cellulaire au contact des canaux encore fermés. Le déséquilibre électrique qui en résulte (le potentiel est à cet endroit légèrement plus positif qu'à l'état de repos) déclenche alors leur ouverture, et ainsi de suite.

Dans les conditions normales, le potentiel d'action part de l'origine de l'axone et descend jusqu'aux terminaisons synaptiques. Mais quel est le mécanisme initiateur ? Souvenez-vous qu'un neurone a de nombreux dendrites qui, au niveau des synapses, sont reliés aux axones d'autres neurones ; toutes ces connexions synaptiques entraînent de petits changements du potentiel électrique à l'intérieur de la membrane cellulaire. Le corps cellulaire et les dendrites n'ont pas de canaux de sodium à contrôle électrique comme l'axone, si bien que lorsque le potentiel de membrane devient suffisamment positif, les canaux à contrôle électrique les plus proches sont ceux situés à l'origine de l'axone ; ce sont eux qui, par conséquent, s'ouvrent et déclenchent l'influx nerveux qui commence alors son trajet jusqu'à l'extrémité de l'axone.

Un fait remarquable au sujet de l'influx nerveux est qu'il n'a besoin d'aucune énergie biologique : il s'agit presque d'un système à mouvement perpétuel. Mais il y a quand même un prix à payer : à chaque apparition d'un influx nerveux les ions sodium pénètrent dans l'axone. Que leur arrive-t-il alors ? Ils sont à l'intérieur et ne peuvent plus sortir. Intervient alors un autre mécanisme de membrane, appelé pompe à sodium, qui pompe le sodium vers l'extérieur à travers la membrane cellulaire. Cette pompe fonctionne beaucoup plus lentement que l'influx nerveux, et elle est en perpétuelle action, rejetant les ions sodium hors de la cellule. Parce qu'une force électrique tend constamment à attirer le sodium à l'intérieur, la pompe doit travailler contre cette force et dépenser une grande quantité d'énergie biologique. Si le système cellulaire de production d'énergie (dans la mitochondrie) est inhibé — ce qui bloque la pompe — l'influx peut continuer pendant quelques heures ; mais au fur et à mesure que le sodium s'accumule dans la cellule, celle-ci s'épuise et finit par s'arrêter de fonctionner.

Bien que le mécanisme de l'influx nerveux fasse intervenir des mouvements ioniques à travers la paroi cellulaire et des modifications de potentiel d'action membranaire, l'influx lui-même n'est pas un courant électrique. Cependant, en raison des changements de leur potentiel d'action, les membranes cellulaires des neurones produisent des champs électriques qui peuvent être importants et que l'on peut enregistrer.

Le potentiel d'action descend donc le long de l'axone jusqu'aux terminaisons synaptiques, puis il cesse d'exister. Lorsqu'il atteint la terminaison axonale, il déclenche le phénomène de la transmission synaptique : les vésicules pré-synaptiques relâchent leurs molécules de neurotransmetteurs qui vont traverser l'espace synaptique et se fixer sur les molécules réceptrices situées sur la membrane de la cellule-cible, de l'autre côté de la synapse. Selon le type de transmetteur chimique et de molécules réceptrices, l'action synaptique va exciter ou inhiber le neurone, en augmentant ou en diminuant son activité. Lorsque les molécules de transmetteurs se fixent sur les molécules réceptrices, les récepteurs activés entraînent des changements dans la membrane cellulaire, ce qui se traduit par une excitation ou une inhibition.

L'action synaptique d'une ou de plusieurs cellules excite un neurone en amenant le potentiel de membrane interne de celui-ci à devenir un peu plus positif ou un peu moins négatif qu'il ne l'est au repos. Cette action peut être indétectable ou très importante, avec tous les intermédiaires possibles. Si les excitations sont suffisantes pour atteindre le seuil efficace, l'ouverture des canaux de sodium situés à l'origine de l'axone est déclenchée et l'influx nerveux survient. Le neurone peut ainsi « décider » d'engendrer un influx nerveux répondant à la loi du « tout ou rien », et tout le processus repart. Si au contraire l'excitation synaptique est insuffisante le neurone « décidera » de ne pas engendrer de potentiel d'action.

Quel pourrait être un système simple pour éviter qu'un neurone n'engendre un influx nerveux ? Pour cela, il faut que le voltage à l'intérieur de la cellule soit plus négatif que la normale : c'est ainsi qu'agit une inhibition synaptique. Lorsque les synapses inhibitrices agissent sur un neurone, elles rendent plus négatif encore le potentiel de membrane, de sorte que le seuil d'apparition de l'influx nerveux ne peut pas être atteint. Les synapses inhibitrices réalisent cela en ouvrant des canaux de chlorure dans la membrane cellulaire ; les ions chlorure, situés essentiellement hors de la cellule, sont chargés négativement ; lorsqu'ils traversent la membrane, le potentiel interne devient plus négatif qu'il ne l'est au repos.

Excitation synaptique (qui rend l'intérieur de la cellule plus positif qu'au repos) et inhibition synaptique (qui le rend plus négatif qu'au repos) sont les deux processus de base par lesquels la synapse agit sur les neurones. Un neurone donné est bombardé en permanence par des centaines, voire des milliers d'autres neurones, qui modulent excitation et inhibition. Lorsqu'une excitation est suffisante pour déclencher l'ouverture des canaux de sodium situés à la naissance de l'axone, l'influx nerveux se développe et descend le long de l'axone jusqu'aux terminaisons synaptiques par l'intermédiaire desquelles il agit sur les autres neurones.

Les interactions neuronales fondamentales ont donc lieu au niveau des synapses, c'est-à-dire au niveau des connexions qui lient un neurone à un autre. Comme vous vous en souvenez certainement, nous avons dit qu'aucune nouvelle cellule ne se développe dans le cerveau humain après la naissance ; ceci est le mauvais côté de la médaille. En revanche le bon côté est que de nouvelles synapses peuvent se développer et se multiplier. Ce sont ces connexions entre neurones qui forment les circuits et réseaux de communications nerveuses dans le cerveau. La majorité des connexions est déjà établie à la naissance, mais les détails et les « réglages » continuent à se préciser tout au long de la vie. Et de fait une expérience peut entraîner l'apparition de nouvelles synapses ; les expériences peuvent, ainsi, modeler le cerveau.

Si vous aviez l'occasion d'observer le système nerveux d'animaux aussi différents que le ver de terre, la fourmi, la pieuvre et l'homme, vous vous apercevriez que, bien que la nature ait longuement essayé de nombreuses sortes de systèmes nerveux, les modes de fonctionnement de base des cellules nerveuses sont identiques pour tous les animaux. L'aspect radicalement différent est l'organisation des interconnexions entre cellules nerveuses.

De nombreux invertébrés, comme les palourdes ou les homards, ont un système nerveux relativement simple ne comportant que quelques milliers de neurones. Chez ces animaux inférieurs, de nombreux neurones peuvent être individualisés de par leur localisation et leur aspect spécifique ; on a pu montrer que nombreux sont ceux qui ont un rôle fonctionnel particulier. Le système nerveux des vertébrés a pris une voie différente : chaque région du cerveau, même chez les souris, comporte des milliers ou des millions de neurones. Ceux-ci peuvent être classés en quelques types selon leur aspect mais le nombre de chaque type de neurones est élevé.

L'énorme augmentation du nombre de neurones dans le cerveau des vertébrés explique très bien l'apparition chez ces derniers d'aspects plus complexes du comportement et de l'activité ; c'est le cas de l'extraordinaire développement de l'intelligence survenu au cours de l'évolution des vertébrés. L'intelligence ne peut pas exister dans une seule cellule ni même dans plusieurs millions de cellules à la fois. Elle est le produit de l'interaction entre les myriades de neurones présentes dans le cerveau des vertébrés.

4

LE CERVEAU CHIMIQUE : LES MESSAGERS MOLÉCULAIRES

NOTRE ÉTUDE DU CERVEAU s'est focalisée chapitre après chapitre sur des structures de plus en plus petites : les « pièces » du cerveau, puis les colonnes cellulaires, et en troisième lieu les neurones (les « briques » du cerveau). Il nous faut franchir un pas supplémentaire pour saisir la clé du fonctionnement cérébral, et nous intéresser aux molécules qui permettent aux cellules nerveuses de fonctionner.

Au niveau moléculaire, le principe de base qui régit le fonctionnement cérébral repose sur la structure architecturale de la molécule. Les neurones communiquent entre eux en relâchant, dans les synapses des molécules, les messagers chimiques ou neurotransmetteurs. Au chapitre précédent nous avons évoqué un petit personnage imaginaire qui se tenait debout dans l'espace synaptique et recevait une véritable pluie de molécules chimiques. Lorsque ces molécules atteignent la membrane de la cellule-cible (la membrane post-synaptique) elles s'accrochent aux molécules des récepteurs chimiques qui sont dans cette membrane. Il s'agit de grosses molécules de protéines qui pointent hors de la membrane et qui ont des formes particulières. Les molécules de transmetteurs qui tombent dans l'espace synaptique ont également une forme particulière, qui leur permet de s'emboîter dans les molécules réceptrices comme une clé s'emboîte dans une serrure.

Le transmetteur chimique est l'ultime élément de fonctionnement du système nerveux. On pensait, auparavant, qu'il n'existait que

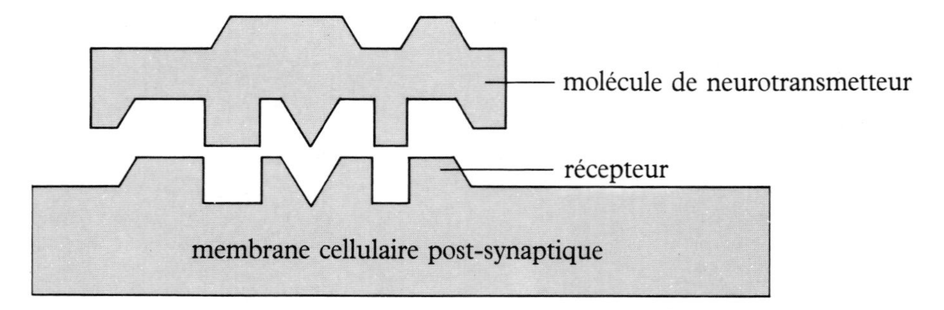

Principe de fixation du transmetteur sur son site spécifique : le mécanisme rappelle celui d'une clé qui s'emboîte dans la serrure correspondante

quelques transmetteurs chimiques, peut-être trois ou quatre. Il apparaît maintenant qu'il y en a des centaines. Si un seul type de molécules est libéré par une synapse particulière, il y a de nombreuses substances libérées par les différentes synapses. Il y a encore plus de messagers chimiques qui sont libérés, par les glandes, dans la circulation sanguine : ce sont les hormones. Les hormones agissent également sur des récepteurs moléculaires situés sur des neurones ou sur d'autres types de cellules, mais elles n'agissent pas comme des synapses.

Par exemple, l'ocytocine est une hormone sécrétée par l'hypophyse dans la circulation sanguine. Au moment de la naissance d'un enfant, sa sécrétion entraîne une contraction des muscles utérins annonçant le début du travail. Les cellules musculaires de l'utérus ont des récepteurs musculaires qui reconnaissent l'ocytocine et seulement l'ocytocine. D'autres muscles de l'organisme ne sont pas sensibles à cette hormone parce qu'ils n'ont pas de récepteurs la reconnaissant.

Il n'y a plus qu'une étape dans le mécanisme d'action des synapses chimiques. Lorsque les messagers moléculaires se fixent sur des molécules réceptrices du neurone-cible, ils déclenchent l'action des récepteurs. Certains récepteurs sont associés à des canaux ioniques. Parmi eux, il en est qui ouvrent les canaux de sodium et qui entraînent donc une excitation de la cellule-cible, pouvant parfois déclencher un influx nerveux dans l'axone de celle-ci. Un autre type de récepteurs est associé à des canaux ioniques différents, par exemple des canaux de chlorure. Lorsqu'il est déclenché par son messager chimique, il ouvre les canaux de chlorure. Cela rend la cellule moins excitable ; en d'autres termes cela inhibe l'activité de la cellule. Les ions chlorure sont négatifs ; lorsqu'ils pénètrent dans la cellule ils augmentent, ainsi que nous l'avons vu au chapitre 3, la négativité intracellulaire.

D'autre part, il existe des récepteurs moléculaires qui agissent indirectement par l'intermédiaire de ce qu'on appelle les systèmes de messagers secondaires (les messagers primaires sont les transmetteurs chimiques libérés dans les synapses). Lorsque ces récepteurs sont déclenchés par leurs messagers primaires, ils activent les messagers secondaires qui agissent dans la cellule et amènent celle-ci à fabriquer plus de substances chimiques et d'hormones ou même de molécules réceptrices. Le système des messagers secondaires peut même agir sur le matériel génétique du neurone, l'ADN, pour créer des modifications de longue durée, voire définitives.

Les récepteurs moléculaires peuvent avoir sur leurs cellules de multiples effets. Mais ils n'agissent que sous l'influence des messagers primaires qui leur sont spécifiques, ou sous l'influence de substances imitant les messagers primaires en question. Lorsque le récepteur trouve « chaussure à son pied », c'est-à-dire lorsqu'il fixe le messager qui lui correspond, il est alors mis en action. Or les molécules qui ont la même forme que le récepteur synaptique physiologique trompent les récepteurs qui les prennent pour les vrais messagers. C'est ainsi que de très petites quantités de substance chimique peuvent avoir un effet important sur le cerveau.

Une des histoires les plus extraordinaires concernant la forme des molécules et leur action cérébrale est celle d'une drogue qui fait depuis longtemps parler d'elle : l'opium. Cet extrait du pavot est utilisé depuis des millénaires pour soulager la douleur et créer des sensations de bien-être exquis : douleur et plaisir sont d'ailleurs deux des grandes forces compulsives du comportement humain ; ce sont des impératifs biologiques qui peuvent triompher de tous les autres facteurs. Véritable petite merveille, cette drogue peut tout à la fois bloquer la douleur et produire du plaisir ; c'est pourquoi elle a joué un rôle majeur dans l'histoire : de la guerre de l'opium dans la Chine du XIXe siècle jusqu'au trafic d'héroïne de nos jours.

Le substrat actif de l'opium est la morphine qui a été isolée et purifiée au début du XIXe siècle, et synthétisée en laboratoire un peu plus tard. La morphine est une molécule relativement simple constituée de plusieurs atomes. A la fin du XIXe siècle, de nombreuses médications comportaient de grandes quantités de morphine ; au début du XXe siècle, un Américain sur 400 était toxicomane, ce qui amena le gouvernement américain à promulguer, en 1914, la Loi sur les Drogues (Narcotic Act).

Les études sur les effets cérébraux de la morphine ont conduit à découvrir dans le cerveau une nouvelle classe de messagers moléculaires qui agissent comme transmetteurs synaptiques et comme hormones : il s'agit des endorphines. La morphine est probablement la substance chimique dont l'action sur le cerveau est la mieux connue. Une des raisons en est que l'on a pu synthétiser en laboratoire les molécules qui ont les effets spécifiques antagonistes à la morphine. La naloxone est la plus puissante de ces antagonistes : il n'en faut que de très petites doses pour renverser rapidement et complètement les effets de la morphine. Un héroïnomane en train de mourir d'insuffisance respiratoire par overdose sera complètement réveillé et guéri en quelques minutes par une seule injection de naloxone ; le toxicomane aura également et immédiatement d'importants symptômes de manque.

Les drogues morphino-mimétiques et antagonistes sont chimiquement et structurellement très similaires ; leur grande efficacité sur le cerveau, à des doses très faibles, amena Avram Goldstein, un pharmacologiste de l'Université de Stanford (Californie), à évoquer il y a quelques années l'existence possible au niveau des neurones cérébraux de récepteurs spécifiques aux opiacés. La naloxone apporte à cette thèse des arguments très solides. Du point de vue de sa structure chimique elle est très proche de la morphine. Cependant, elle n'a aucun effet clinique décelable si elle est injectée chez une personne normale non toxicomane. De fait, ce produit présente si peu

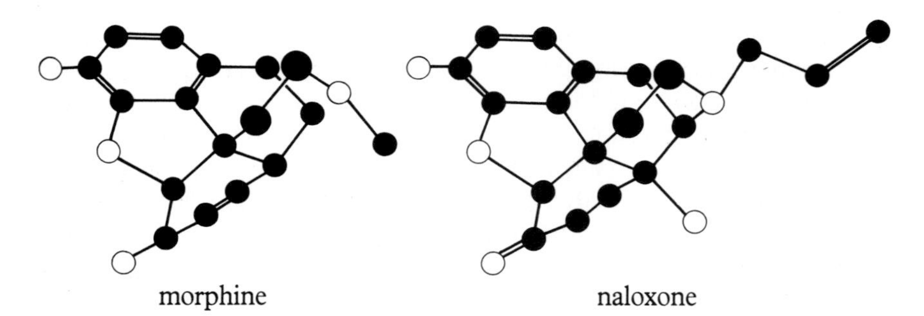

Schémas montrant la grande similitude moléculaire de la morphine et de la naloxone

de danger qu'il est utilisé de façon routinière dans de nombreux services hospitaliers d'urgence aux États-Unis : si une personne est admise dans le coma sans qu'il y ait de cause évidente, une injection de naloxone est pratiquée ; si le coma est dû à une overdose d'héroïne, le malade récupérera immédiatement une conscience normale ; si son coma est d'autre orgine la naloxone restera sans effet positif ni négatif.

Les récepteurs opiacés, les récepteurs moléculaires qui dans le cerveau fixent les molécules de morphine, ont été découverts en 1974 par Solomon Snyder et Candace Pert de l'Université de Johns Hopkins (Baltimore, États-Unis). Ils utilisèrent certains procédés pour renforcer les actions de la naloxone, et montrèrent que la naloxone marquée (de la naloxone rendue radioactive pour être identifiée par un compteur de radiations) se fixe de façon très spécifique sur des récepteurs neuronaux situés dans différentes régions du cerveau.

Pourquoi donc y aurait-il un récepteur cérébral réagissant à un extrait du pavot ? Ce système de récepteur existe chez tous les vertébrés, et pas seulement dans le cerveau humain. Il s'agit d'un système ancien qui, apparemment, s'est développé chez les premiers vertébrés bien avant que le pavot ne pousse à la surface de la Terre. La réponse évidente se devait d'être que l'organisme et le cerveau fabriquent leurs propres opiacés et que ces récepteurs sont destinés aux opiacés normaux du cerveau.

Cependant il n'y a, dans le corps ni dans le cerveau, aucune substance naturelle qui ressemble chimiquement aux composés morphiniques. Il devait donc exister d'autres substances cérébrales physiologiques qui ont une similitude architecturale : des substances dont une partie de la molécule a la même forme que la molécule des drogues opiacées, et dont la structure moléculaire s'adapte donc aux récepteurs opiacés.

On s'est alors mis à chercher. Plusieurs groupes de savants, de par le monde, travaillèrent intensément pour trouver ces opiacés naturels. Les premiers à réussir furent John Hughes et Hans Kosterlitz de l'Université d'Aberdeen en Écosse. En 1975, ils isolèrent du cerveau de porc une substance qui avait la même action que la morphine. Leurs procédés d'isolement furent compliqués et nécessitèrent plus de 2 000 cerveaux de porcs (venant des abattoirs d'Écosse) pour obtenir une petite quantité de substance. Ils l'appelèrent enképhaline (en grec : « dans la tête »). Il existe, en fait, deux enképhalines qui

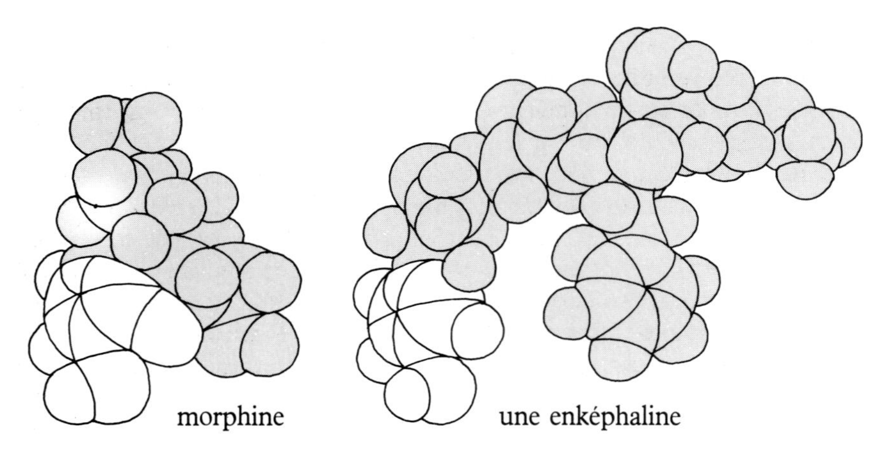

Schéma montrant la similitude architecturale existant entre les extrémités de deux molécules différentes

sont chimiquement très proches l'une de l'autre et qui sont des substances relativement simples.

A première vue, ces « morphines cérébrales » ne ressemblent pas du tout à la molécule de morphine. Les enképhalines sont des peptides, c'est-à-dire de petites chaînes d'acides aminés. Chacune d'entre elles est constituée de cinq acides aminés. Les protéines naturelles que l'on trouve dans la viande ou dans d'autres aliments sont comme des peptides, mais des centaines de fois plus grandes, composées de longues chaînes d'acides aminés. Un peptide est un petit fragment d'une telle chaîne. Les enképhalines sont donc de petits peptides. La morphine, elle, n'est pas du tout un peptide et est chimiquement très différente.

C'est là que l'architecture moléculaire apporte la réponse. Dans sa structure tridimensionnelle, une extrémité de la molécule de morphine ressemble beaucoup à une extrémité de la molécule d'enképhaline. Les récepteurs « opiacés » du cerveau ne sont donc pas de véritables récepteurs opiacés ; ce sont des récepteurs aux enképhalines mis en jeu par les opioïdes cérébraux. Il se trouve simplement que la morphine et les drogues synthétiques similaires ont une forme qui s'adapte à ces récepteurs.

D'ailleurs, la naloxone, antagoniste de la morphine, s'adapte aux récepteurs opiacés du cerveau mieux même que ne le fait la morphine elle-même. C'est pourquoi elle contre si bien les actions de la morphine. Elle rejette littéralement la molécule de morphine hors du récepteur et s'y fixe à sa place. Cependant, sa forme est telle que bien qu'elle se fixe au récepteur elle ne peut pas l'activer. La naloxone ne fait que se fixer et empêcher la morphine et les autres opiacés d'agir sur le récepteur.

D'autre part, la morphine active les récepteurs opiacés tout comme le font les opioïdes cérébraux. Depuis que Hugues et Kosterlitz ont découvert les enképhalines en 1975, d'autres opioïdes cérébraux naturels ont été découverts. Ces endorphines (morphines endogènes) sont toutes des polypeptides et certaines sont beaucoup plus puissantes que la morphine. Les effets des opioïdes cérébraux semblent être les mêmes que ceux de la morphine : ils soulagent la douleur et induisent des sensations de plaisir. On pourrait penser que ces substances sont des antalgiques idéaux ; après tout elles agissent naturellement sur l'organisme. Malheureusement ces opioïdes céré-

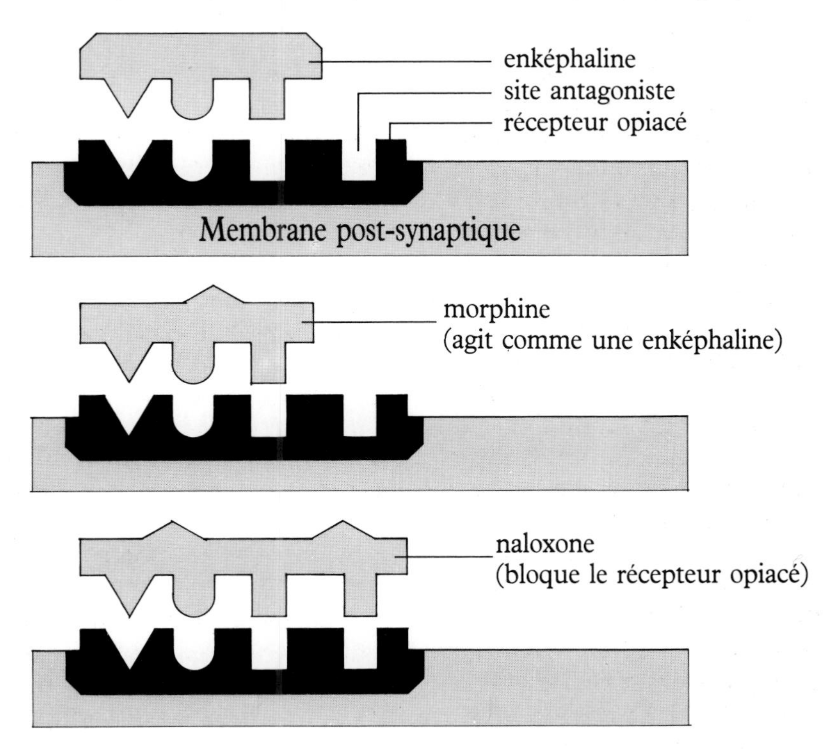

Schéma illustrant les relations existant entre trois molécules différentes et un récepteur opiacé

braux sont aussi néfastes que la morphine et l'héroïne ; il semblerait en fait que toutes les substances qui agissent sur les récepteurs opiacés du cerveau pour soulager la douleur et induire du plaisir peuvent entraîner la toxicomanie.

Pourquoi avons-nous, de même que les autres vertébrés, des substances opioïdes dans le cerveau ? Les expérimentations animales ont montré que le stress entraîne la libération de ces substances dans la circulation sanguine, principalement à partir de l'hypophyse, cette petite glande si importante située à la base du cerveau. Elles sont libérées pour lutter contre la douleur induite par un stress. C'est ainsi que, dans une situation d'urgence, nous ne remarquons même pas des blessures mineures qui, dans d'autres circonstances, nous apparaîtraient douloureuses.

La naloxone n'antagonise pas uniquement la morphine mais également les opioïdes naturels du cerveau. Elle semble d'ailleurs augmenter l'intégration des sensations douloureuses, tant chez les animaux que chez les humains. Mais cela n'apparaît qu'en cas d'injections répétées. En effet, les sujets sains, en dehors d'une situation de stress, auxquels on administre une seule injection de naloxone, ne signalent aucune sensation subjective particulière. En revanche, en cas d'injections répétées quotidiennement, le comportement du sujet se modifie quelque peu, semblant indiquer que le traitement lui est désagréable.

Avram Goldstein s'est servi de naloxone pour étudier les effets agréables des opioïdes cérébraux. A peu près la moitié des adultes normaux disent qu'ils ressentent une sensation de frissons descendant le long de la colonne vertébrale lorsqu'ils écoutent leur musique préférée. Goldstein a injecté de la naloxone à un groupe d'étudiants en médecine de l'Université de Stanford ; à un autre groupe il a injecté un placebo. La naloxone a entraîné une réduction significative du frisson.

On peut faire l'hypothèse que certaines activités stressantes comme la course de fond ou le plongeon de haut vol deviennent de véritables drogues parce qu'elles induisent la libération d'opioïdes cérébraux. Un exemple classique est le « bien-être » que beaucoup de coureurs ont expérimenté. Ils racontent que s'ils courent régulièrement sur de longues distances ils ressentent à un moment ou à un autre une impression marquée de plaisir et d'euphorie. Il est intéressant de noter qu'au moment de l'accouchement, lorsque le travail est entamé, le taux sanguin des endorphines de la mère s'élève considérablement, à tel point que les taux chez la mère et chez l'enfant sont dix fois supérieurs à la normale ; c'est un exemple frappant de ce que l'organisme de la mère peut réaliser pour se protéger et pour protéger son enfant le plus possible de la douleur et du stress qu'entraîne cette agression qu'est la naissance.

Les substances similaires à l'opium libérées par le corps et le cerveau, tout comme d'autres messagers chimiques, font partie du fonctionnement cérébral normal. Lorsqu'un de ces systèmes de messagers chimiques se dérègle, cela peut avoir des conséquences très importantes sur le cerveau et la mémoire. Un bon exemple est celui de la schizophrénie — une des maladies mentales les plus dévastatrices. Un des éléments classiques de la schizophrénie est le fait que l'un des systèmes de transmission synaptique, celui de dopamine, est complètement perturbé. L'histoire de « Sophie » est à ce sujet tout à fait démonstrative :

> Sophie, une étudiante de 23 ans, est amenée à l'hôpital par ses parents car elle présente de graves troubles mentaux. Six mois auparavant elle a abandonné son premier emploi, est devenue réservée et renfermée. Ceci était d'autant plus surprenant que Sophie n'avait jamais été particulièrement timide ni anxieuse.
> Lorsque Sophie a quitté son travail, elle sentait que quelque chose n'allait pas bien en elle, sans pouvoir préciser de quoi il retournait. Elle devint de plus en plus pensive, ruminant des questions sur le sens de l'existence et des pensées à thème religieux. Son apparence extérieure se détériora. Elle ne prenait plus soin d'elle, ne se coiffait plus, n'utilisait plus de produits de beauté et gardait des vêtements sales. Puis, quelques semaines avant son hospitalisation, elle se convainquit qu'elle avait pour mission de sauver le monde d'un cataclysme. Elle expliquait que les autres étaient inconscients du danger. Elle disait qu'elle savait ce qu'il en était parce que les informations lui étaient directement implantées dans l'esprit par une puissance surnaturelle.
> Elle se souvenait du moment exact où elle comprit qu'elle devait assumer cette mission : un matin au réveil, alors qu'elle regardait par la fenêtre les premières lueurs de l'aube, une planète anormalement brillante était encore visible à l'est sur l'horizon ; pendant qu'elle la regardait, le soleil apparut et elle vit un rayon orange allant du soleil à la planète ; la planète disparut au moment où le clocher sonnait six heures ; elle sut alors qu'elle avait été « choisie ».

Ses ennemis pouvaient savoir quelle était sa mission parce qu'ils pouvaient lire dans sa tête. Elle essaya d'avoir des occupations banales pour tromper leur espionnage. Ils avaient placé des serpents dans son ventre pour l'empêcher d'agir. Elle entendait souvent la voix de ses ennemis parlant d'elle, l'insultant et complotant pour essayer de contrecarrer ses plans secrets. Parfois Sophie répondait à ses ennemis. Plusieurs fois par jour elle recevait de nouvelles preuves de son rôle dans cette grande lutte cosmique. Elle savait que certains événements, que d'autres jugeaient insignifiants, étaient en fait des signes. Par exemple, juste avant d'être admise à l'hôpital, une mouche s'était posée sur la télévision et avait commencé à se nettoyer les ailes pendant que Barbara Walters faisait un reportage sur les images par satellite venant de Jupiter. Sophie sut alors qu'il ne restait plus beaucoup de temps avant la fin... (Cette histoire est adaptée du livre de Marvin E. Lickey et Barbara Gordon, *Drugs for Mental Illness : A Revolution in Psychiatry. (Des médicaments pour les maladies mentales, une révolution en psychiatrie.)* San Francisco, W.H. Freeman, 1983, p. 52-53.)

La schizophrénie touche à peu près 1 % de la population mondiale ; elle est indépendante de la race, de la culture et des expériences vécues. La caractéristique fondamentale de la schizophrénie est la perturbation de la pensée. Elle est habituellement accompagnée de convictions pathologiques, d'illusions et d'hallucinations auditives, le patient entendant des bruits qui n'existent pas, surtout des voix.

La schizophrénie a des racines génétiques ; elle a par le fait même un contexte familial. Si l'un de deux vrais jumeaux est schizophrène, l'autre a une chance sur deux de le devenir à son tour. Si un enfant est schizophrène, son frère ou sa sœur a une chance sur huit de le devenir également. Si aucun membre d'une famille n'est schizophrène, le risque de le devenir reste de 1 %.

Il serait satisfaisant de pouvoir dire que c'est la recherche fondamentale qui a permis d'acquérir une bonne compréhension de la schizophrénie et par conséquent une thérapeutique efficace ; mais ce n'est pas ainsi que les choses se sont passées. Au contraire, c'est par hasard qu'un traitement médicamenteux de la schizophrénie a été découvert, et c'est lui qui a conduit à une meilleure compréhension de la maladie en tant que trouble chimique cérébral. Là encore l'architecture chimique apporte la clé de la maladie.

A la fin du XIXe siècle, de nouveaux colorants ont été synthétisés par l'industrie allemande à la recherche de meilleures techniques de coloration des tissus. Un groupe de ces colorants est celui des phénothiazines. On savait déjà que certains colorants étaient efficaces dans le traitement du paludisme (malaria). Apparemment convaincus que ces nouveaux colorants pouvaient également servir en médecine, des médecins essayèrent ces substances dans le traitement d'un certain nombre de maladies. Un chirurgien français remarqua en 1949 que les colorants phénothiazidiques avaient un effet sédatif (calmant) sur des malades qui avaient été opérés. Peu après, on s'aperçut qu'un de ces composés, la chlorpromazine, était efficace chez les schizophrènes. En 1954, ce produit était reconnu aux États-Unis comme un médicament. C'est à partir de cette période que le nombre de patients hospitalisés dans les hôpitaux psychiatriques commença à diminuer dans ce pays.

Avant l'introduction de la chlorpromazine, aucun traitement de la schizophrénie n'était vraiment efficace. Il y avait plus de deux millions de schizophrènes aux États-Unis, et nombre d'entre eux devaient être hospitalisés. La chlorpromazine ne guérit pas la schizophrénie mais en traite efficacement les symptômes les plus sévères. Les malades deviennent plus calmes, plus rationnels ; certains deviennent tout à fait capables de vivre hors de l'hôpital de façon autonome.

Les résultats extraordinaires de la chlorpromazine amenèrent de nombreux scientifiques à espérer pouvoir trouver la clé chimique de la schizophrénie en parvenant à comprendre les effets de la chlorpromazine. Cependant cet espoir fut déçu lorsque d'autres médicaments tout aussi efficaces furent découverts, en particulier l'halopéridol qui est plus efficace encore que la chlorpromazine, mais qui a une structure chimique très différente. Ce genre de puzzle est très classique en matière de science neurologique. Des substances aux structures très différentes peuvent avoir des effets identiques sur le cerveau et le comportement.

Lorsqu'on est confronté à un tel problème, il est utile de simplifier au maximum les données de la situation. Il est bien sûr impossible d'étudier directement l'activité chimique d'un cerveau de schizophrène. Mais en laboratoire on peut rechercher quels seront les effets qu'un médicament aura sur un système neurotransmetteur donné. Tous les mammifères ont globalement les mêmes systèmes de neurotransmetteurs. Certains, mieux compris, peuvent être bien étudiés chez l'animal ; en fait, le tissu cérébral que l'on veut étudier peut être prélevé et ses réactions chimiques analysées *in vitro*, dans des tubes à essais.

Il fut rapidement déterminé, chez le rat et chez d'autres animaux de laboratoire, que des produits comme la chlorpromazine et l'halopéridol interfèrent avec un transmetteur cérébral appelé dopamine. Il est possible d'extraire du cerveau d'un mammifère de la dopamine et de préparer des solutions de récepteurs chimiques ; on peut alors mesurer les taux de diverses substances qui s'unissent ou se fixent à ces récepteurs, et les comparer au taux du transmetteur chimique normal, la dopamine.

La chlorpromazine, l'halopéridol et d'autres médicaments antipsychotiques, ceux qui sont utilisés dans la schizophrénie, se fixent sur les récepteurs de dopamine. En fait, l'halopéridol s'y fixe encore mieux que ne le fait la dopamine. Il en résulte que l'efficacité d'une drogue antipsychotique peut être prévue avec beaucoup de précision en appréciant à quel point celle-ci déplace l'halopéridol des récepteurs dopaminergiques. Les récepteurs dopaminergiques sont, tout d'abord, marqués avec de l'halopéridol radioactif ; puis un autre antipsychotique est ajouté à la solution ; on mesure alors le nombre de molécules d'halopéridol qui sont déplacées hors des récepteurs dopaminergiques. Ce test simple permet de prévoir assez précisément quelle sera l'efficacité d'un médicament dans le traitement de la schizophrénie.

Lorsque des synapses libèrent de la dopamine vers des neurones-cibles dopaminergiques, celle-ci se fixe sur les récepteurs de dopamine et active les neurones-cibles. Elle entraîne de nombreuses modifications dans l'activité et le fonctionnement de ces neurones, tant en ce qui concerne les réactions chimiques intracellulaires ou intramembranaires, qu'en ce qui concerne le matériel génétique (l'ADN) dans le noyau ou le système du messager secondaire dont nous avons déjà parlé plus haut. Lorsque les substances antipsychotiques s'unissent aux récepteurs domapinergiques, elles n'activent pas les neurones-cibles. La raison en est qu'elles empêchent la dopamine de se fixer sur ces récepteurs, tout comme la naloxone bloque les récepteurs opiacés.

Pour fermer une porte à clé, on peut utiliser la clé d'un côté ou de l'autre ; si on laisse la clé dans la serrure du côté intérieur, par exemple, la porte ne pourra plus être débloquée de l'extérieur car il sera impossible d'introduire une clé de ce côté. C'est ce qui se passe avec la substance antipsychotique. Celle-ci se fixe sur les récepteurs de dopamine et empêche cette dernière de se fixer à son tour sur les récepteurs.

La chlorpromazine et l'halopéridol ont des structures chimiques différentes. Lorsque les chimistes parlent de la structure d'une molécule ils font référence aux données chimiques particulières, comme par exemple le nombre d'atomes de carbone, d'azote, la présence d'une fonction benzénique ou d'une chaîne latérale. De ce point de vue, chlorpromazine et halopéridol sont effectivement très différents. Cependant, la *forme* d'une partie de la molécule de chlorpromazine est identique à celle d'une partie de la molécule d'halopéridol, et à celle de la molécule de dopamine.

Telle est donc l'architecture profonde du cerveau. Le récepteur moléculaire est la serrure qui peut être ouverte par le transmetteur chimique de forme adéquate, la molécule clé. Cependant, de nombreuses autres substances chimiques peuvent avoir la même forme que la « clé », au moins en ce qui concerne une partie de leur molécule : il en est ainsi des médicaments qui se fixent sur les récepteurs cérébraux. La molécule dans son ensemble peut être très différente du transmetteur normal, mais l'un de ses segments a une forme similaire à celle du transmetteur. C'est la structure architecturale de la molécule qui détermine l'action de celle-ci sur les récepteurs cérébraux.

Le LSD (acide diéthylamide lysergic) est une drogue très puissante (quelques millioniémes de grammes représentent une dose efficace) qui entraîne des manifestations de type psychotique. Si elle est tellement puissante, c'est parce qu'elle a la forme adaptée pour se fixer sur un récepteur particulier du cerveau. On pourrait penser que le LSD, parce qu'il entraîne des manifestations psychotiques, agit sur des récepteurs dopaminergiques ; or ce n'est pas le cas. Il agit au contraire sur un autre système de neurotransmetteurs, le système de la sérotonie (système sérotoninergique). On ne sait pas grand-chose du rôle du système sérotoninergique, hormis qu'il intervient de façon importante dans la régulation de la température, de l'éveil et du sommeil.

Le fait remarquable que toutes les drogues actives dans le traitement de la schizophrénie bloquent les récepteurs de dopamine semblerait indiquer que la schizophrénie est la conséquence d'un excès de dopamine. Ce raisonnement a été à l'origine de la théorie dopaminergique de la schizophrénie.

Plusieurs études ont été pratiquées, au cours desquelles les taux cérébraux de dopamine ont été dosés chez des schizophrènes décédés. Les résultats n'ont pas confirmé l'hypothèse : les taux de dopamine étaient normaux. Cependant, des travaux récents montreraient que de tels patients ont une augmentation significative du nombre de récepteurs dopaminergiques dans le cerveau. Si cela se confirme, ces résultats cadreraient bien avec l'étude biochimique. Le cerveau de schizophrène serait alors plus sensible à la dopamine qu'un cerveau normal ; il n'y aurait pas de dopamine en excès, mais la quantité normale de dopamine serait plus active ; en bloquant les récepteurs de dopamine avec les antipsychotiques, on permettrait au système nerveux de retrouver une sensibilité normale à la dopamine.

La découverte purement accidentelle de l'efficacité antipsychotique de certaines molécules colorantes a donc aidé à la compréhension et au traitement de la schizophrénie ; s'il n'est pas encore possible de guérir une telle maladie, son traitement fait beaucoup de progrès.

Une pathologie très différente, la maladie de Parkinson, fait aussi intervenir la dopamine cérébrale. Voici l'histoire (fictive) d'une observation médicale typique :

> Jacques était un ingénieur compétent. Vers cinquante-cinq ans, il remarqua que ses mains commençaient à trembler un peu. Il s'aperçut également qu'il avait des difficultés à se mettre en mouvement : lorsqu'on sonnait à la porte d'entrée, se lever de sa chaise lui demandait un véritable effort. Au début, il pensait s'être froissé un muscle, mais les difficultés allèrent croissant. Il marchait de plus en plus lentement. Cependant, ses facultés intellectuelles et son raisonnement n'étaient pas modifiés. Jacques avait une maladie de Parkinson.

La maladie de Parkinson entraîne une limitation progressive de la mobilité. Son incidence sur la population est de l'ordre de un pour mille, mais est beaucoup plus élevée chez les personnes âgées. La plupart des lecteurs de ce livre ont eu l'occasion de voir des personnes âgées atteintes de cette maladie. Ils marchent lentement en traînant les pieds, penchés en avant ; ils ont des tremblements des mains et des doigts qui leur donnent l'aspect de quelqu'un qui « émiette le pain » ou qui « sucre les fraises ». Le symptôme principal est représenté par la difficulté au déclenchement et à la réalisation des mouvements volontaires. De nombreuses personnes atteintes de cette maladie arrivent souvent, tout au moins au début, à compenser les problèmes qu'elle entraîne ; l'actrice Katharine Hepburn en est un exemple. Les traitements modernes assurent une amélioration des symptômes ; ces traitements sont un des succès de la recherche fondamentale neuroscientifique.

On sait depuis longtemps qu'il y a des rapports entre la maladie de Parkinson et des anomalies d'une région particulière du cerveau située à la base de celui-ci ; cette structure est appelée locus niger (*substantia nigra* ou « substance noire ») en raison de la présence de pigment noir dans ses neurones. De nombreux neurones du locus niger envoient leurs axones à une autre structure sous-corticale appelée noyau caudé. Ce noyau caudé intervient dans la régulation des mouvements.

En 1955, un anatomiste allemand trouva qu'il y avait un nombre significativement trop bas de neurones dans le locus niger des patients décédés après avoir été atteints de la maladie de Parkinson. L'étape suivante a été la mise au point, en Suède, d'une nouvelle technique de visualisation de certains neurones : les neurones qui contiennent certains transmetteurs chimiques comme la dopamine apparaissent en fluorescence lorsqu'ils ont été traités avec du formaldéhyde (constituant des liquides d'embaumement), c'est-à-dire du formol. Grâce à cette technique, il a été prouvé que les neurones du locus niger contiennent beaucoup de dopamine, le même transmetteur que celui impliqué dans la schizophrénie. Chez les personnes décédées et qui avaient eu une maladie de Parkinson, les neurones à dopamine du locus niger étaient en moins grand nombre et

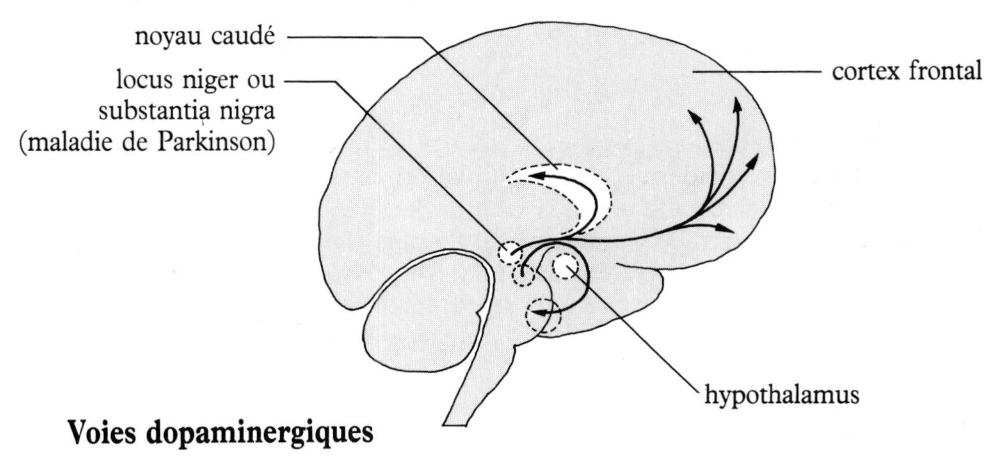

Voies dopaminergiques

contenaient moins de dopamine. Il apparut donc évident que la maladie de Parkinson était liée à un manque de dopamine dans les neurones du locus niger.

Le traitement comprend un médicament appelé L-dopa, qui est transformé en dopamine par les neurones concernés. Les quelques neurones dopaminergiques restant dans le locus niger peuvent alors synthétiser plus de dopamine, et par conséquent améliorer leur fonctionnement. L'administration de L-dopa entraîne une amélioration rapide et visible de la symptomatologie chez de nombreux patients :

> En résumé, une seule injection intraveineuse de L-dopa entraîna la disparition complète ou la réduction substantielle de l'akinésie (difficulté à commencer les mouvements). Il fut même possible, après l'injection de L-dopa, à certains malades grabataires de s'asseoir, à d'autres de quitter la position assise pour se tenir debout, à d'autres encore de pouvoir déclencher les premiers pas pour marcher, ce qu'ils ne pouvaient faire jusque-là. Ils purent marcher avec des mouvements associés normaux (balancement des bras) et même courir et sauter. Ceux qui avaient une parole chuchotante, sourde, brouillée par une articulation difficile, retrouvèrent une diction aussi forte et claire que celle d'un sujet normal. Pendant de courtes périodes, les patients purent se livrer à des activités motrices qu'aucun autre médicament n'avait rendues possibles. L'effet de la L-dopa est maximal au bout de deux à trois heures et persiste, en diminuant progressivement d'intensité, pendant vingt-quatre heures. (Extrait du premier rapport clinique sur le traitement par la L-dopa : O. Hornykiewicz, The mecanisms of action of L-dopa in Parkinson's disease (Les mécanismes d'action de la L-dopa dans la maladie de Parkinson). *Life Sciences*, 15 (1974), 1249-1259.)

Vous avez peut-être remarqué que certains signes de vieillesse chez les personnes normales évoquent une maladie de Parkinson *a minima*. Les personnes très âgées ont tendance à se déplacer lentement et à démarrer leurs mouvements avec plus de difficulté. Elles peuvent même souffrir d'un petit tremblement. Il n'y a pas de preuve d'une quelconque perte cellulaire dans le locus niger des personnes âgées normales. Cependant, on peut supposer que le vieillissement normal entraîne une diminution de la quantité de dopamine dans le système locus niger — noyau caudé (système nigrocaudé).

Les vieux rats ressemblent beaucoup aux humains âgés. Ils se déplacent lentement et ne déclenchent pas leurs mouvements aussi bien que les jeunes. Aussi utilise-t-on couramment des rats âgés comme modèles d'autres vieux mammifères, en particulier les humains.

Un test frappant de l'aptitude du rat à déclencher et à poursuivre ses mouvements est la nage. Un rat est placé dans un récipient contenant de l'eau de telle façon qu'il ne peut ressortir. Un jeune rat normal nage alors vigoureusement jusqu'à ce que l'expérimentateur le repêche. Un rat âgé reste inerte dans l'eau, commence à s'enfoncer, et se noierait si l'expérimentateur ne le repêchait pas rapidement. L'injection de L-dopa à des rats âgés les fait nager vigoureusement : ils se comportent alors comme de jeunes rats. Nous nous empressons de préciser que l'on n'a encore jamais injecté de L-dopa à des humains normaux âgés. Toutefois, ces expériences sur les vieux rats ne laissent pas de soulever l'espoir qu'il soit un jour possible de renverser chez l'homme certains des symptômes de la vieillesse.

Nous avons vu que tous les médicaments efficaces dans le traitement des symptômes de la schizophrénie bloquent les récepteurs de dopamine dans le cerveau. La schizophrénie pourrait être due à un excès de dopamine ou à un nombre beaucoup trop élevé de récepteurs dopaminergiques dans le cerveau ; en d'autres termes, ce serait l'inverse de ce qui se passe pour la maladie de Parkinson, dans laquelle il n'y a pas assez de dopamine.

Ces deux hypothèses sont claires et nettes, mais ne semblent pas concorder vraiment. Quel rapport une simple voie motrice comme celle touchée par la maladie de Parkinson pourrait-elle avoir avec la pathologie mentale complexe de la schizophrénie ? La réponse est qu'il n'y a pas de rapport. Il existe deux grands circuits dopaminergiques dans le cerveau. L'un est la voie nigrocaudée (locus niger — noyau caudé) intéressée par la maladie de Parkinson. L'autre est beaucoup plus étendu et diffus : des cellules contenant de la dopamine sont situées dans le tronc cérébral et envoient leurs axones vers les régions supérieures de l'encéphale — le cortex cérébral et le système limbique — en rapport avec la pensée et la conscience, c'est-à-dire avec les fonctions mentales supérieures. Ce système dopaminergique est aussi une voie mononeuronale, mais les corps des cellules dopaminergiques sont groupés en amas dans le tronc cérébral plutôt que dans le locus niger et envoient leurs axones dans de nombreux territoires, à des neurones des régions cérébrales supérieures.

Ces deux systèmes dopaminergiques ne semblent pas liés entre eux pour ce qui concerne leurs fonctions. Ils utilisent le même transmetteur chimique — la dopamine — mais interviennent dans des circonstances tout à fait différentes ; l'un intervient dans le contrôle des mouvements et l'autre dans les fonctions intellectuelles. Cela illustre un aspect général des transmetteurs chimiques du cerveau. Les neurotransmetteurs sont effectivement les messagers mais ne sont pas le message lui-même. Les voies de contrôle du mouvement qui vont du locus niger au noyau caudé utilisent la dopamine comme messager pour transporter l'information aux synapses du noyau caudé. La dopamine ne fait que transmettre l'information. Si cette information concerne les mouvements c'est que le noyau caudé est relié aux régions du cerveau qui contrôlent les mouvements. La dopamine elle-même n'a pas d'autre rôle que d'agir comme transmetteur synaptique. L'autre système dopaminergique, celui qui se projette sur les régions cérébrales supérieures, est impliqué dans les fonctions intellectuelles parce que ces régions le sont. Mais la dopamine ne contient elle-même aucune information d'aucune sorte.

Quels sont les effets sur les mouvements des médicaments utilisés dans le traitement de la schizophrénie, comme la chlorpromazine et l'halopéridol ? Ces produits entraînent une diminution de l'effet de la dopamine sur le cerveau. Ils devraient donc être responsables de troubles de la motilité évoquant la maladie de Parkinson. Cela ne s'est confirmé que récemment. Une nouvelle pathologie est en effet apparue chez les malades mentaux chroniques : la dyskinésie tardive. Les chiffres varient, mais globalement un nombre significatif (25 % à 40 %) de patients, qui ont été sous antipsychotiques pendant des années, développent une dyskinésie tardive. Elle débute par des mouvements involontaires de la face et peut progresser jusqu'à des mouvements incontrôlables, des grimaces. Même dans les formes débutantes cela peut causer de délicats problèmes. On conçoit donc combien il est en fait difficile de s'occuper de la schizophrénie : infliger au patient des mouvements incontrôlés et bizarres rend sa vie encore plus difficile.

Au début de la dyskinésie, la symptomatologie peut être inversée en arrêtant le traitement antipsychotique. Mais bien sûr cela veut dire que les signes de la schizophrénie risquent de s'aggraver, ce qui pose un problème tant au malade qu'au psychiatre.

Si les dyskinésies tardives n'ont été diagnostiquées que récemment c'est qu'il faut, en général, plusieurs années de traitement antipsychotique avant que n'apparaisse la symptomatologie dyskinétique. Cette pathologie est un exemple frappant et malheureux de ce que l'on appelle une maladie iatrogène, c'est-à-dire causée par un traitement. Le trouble au niveau des mouvements est un effet secondaire, d'apparition lente, de ce qui est problablement une altération progressive de la voie dopaminergique qui contrôle les mouvements.

Nous avons commencé notre « visite » du cerveau en flânant dans cette vieille bâtisse que la nature a magnifiquement transformée en une structure complexe et tout à fait remarquable. Nous avons vu comment les principales parties du cerveau s'articulent entre elles ; cela nous a paru dénué de sens jusqu'à ce que nous comprenions comment le cerveau s'est développé et comment il a évolué depuis que la vie sur Terre existe.

Nous nous sommes alors suffisamment « miniaturisés » pour pouvoir visiter certaines des « pièces » les plus importantes de cette maison. Dans le cortex visuel, il s'est avéré qu'il n'y avait pas qu'une seule pièce mais qu'il en existait toute une série, chaque pièce étant spécialisée dans un aspect différent de l'expérience visuelle. Dans toutes ces pièces on a retrouvé les six couches de cellules nerveuses qui constituent le cortex cérébral ; mais il y avait plus : chaque pièce était remplie de colonnes de neurones sensibles aux plus fines données de la vision. La colonne cellulaire corticale est ainsi apparue comme l'unité de base du cortex visuel, tout comme elle l'est pour l'audition et le toucher. La colonne pourrait même être l'unité expérientielle de ces aires corticales encore mystérieuses que sont les aires associatives.

En « rapetissant » encore nous avons pu nous mettre au niveau des neurones que l'on peut comparer à des briques, et découvrir leur mode de fonctionnement. Les cellules nerveuses utilisent de petits canaux ioniques qui traversent leur membrane et qui leur permettent d'envoyer, le long de leur axone, des messages à d'autres neurones sous la forme d'influx nerveux. Lorsque l'influx nerveux atteint la synapse (qui est la connexion fonctionnelle de l'axone avec un autre neurone), c'est un autre type de messager qui prend la relève. Si l'on diminuait encore de taille, on pourrait voir qu'il s'agit alors d'un messager chimique, dont les molécules libérées au niveau de la terminaison synaptique vont se fixer sur les récepteurs de la cellule-cible afin que cette dernière soit excitée ou inhibée.

Les molécules des transmetteurs chimiques et celles des récepteurs de la cellule-cible semblent donc être les détentrices du secret ultime du fonctionnement du cerveau.

Cependant si elles sont effectivement les messagers, elles ne sont pas le message lui-même. Ce sont les multiples et très complexes circuits neuronaux du cerveau qui sont les dépositaires de l'intelligence ; nous verrons dans les prochains chapitres quelques exemples, parfois surprenants, de ce que peut réaliser notre cerveau.

UN JEUNE HOMME RECONNAÎT SA MÈRE

Une visite simplifiée
du système visuel
pour lecteur débordé

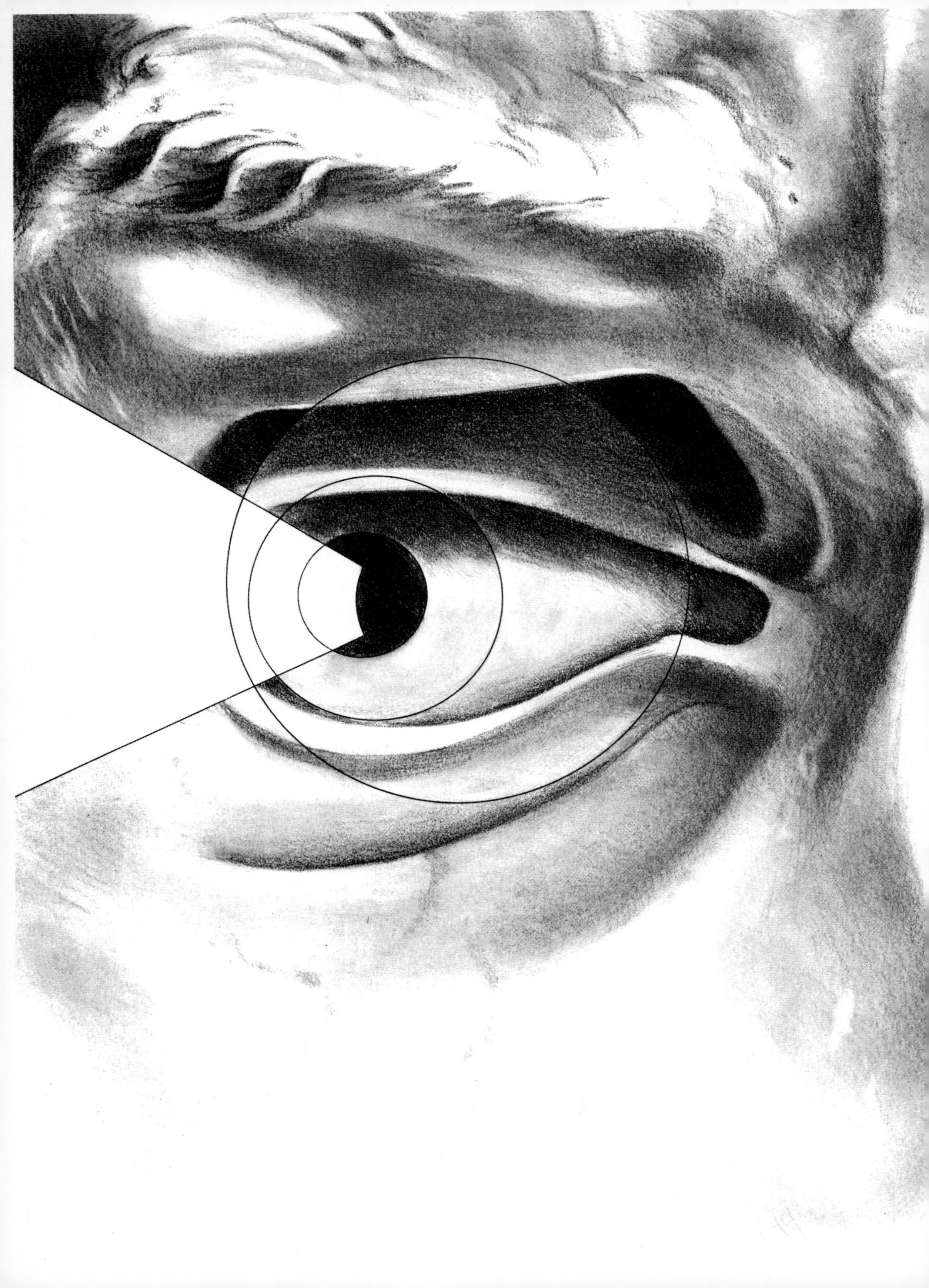

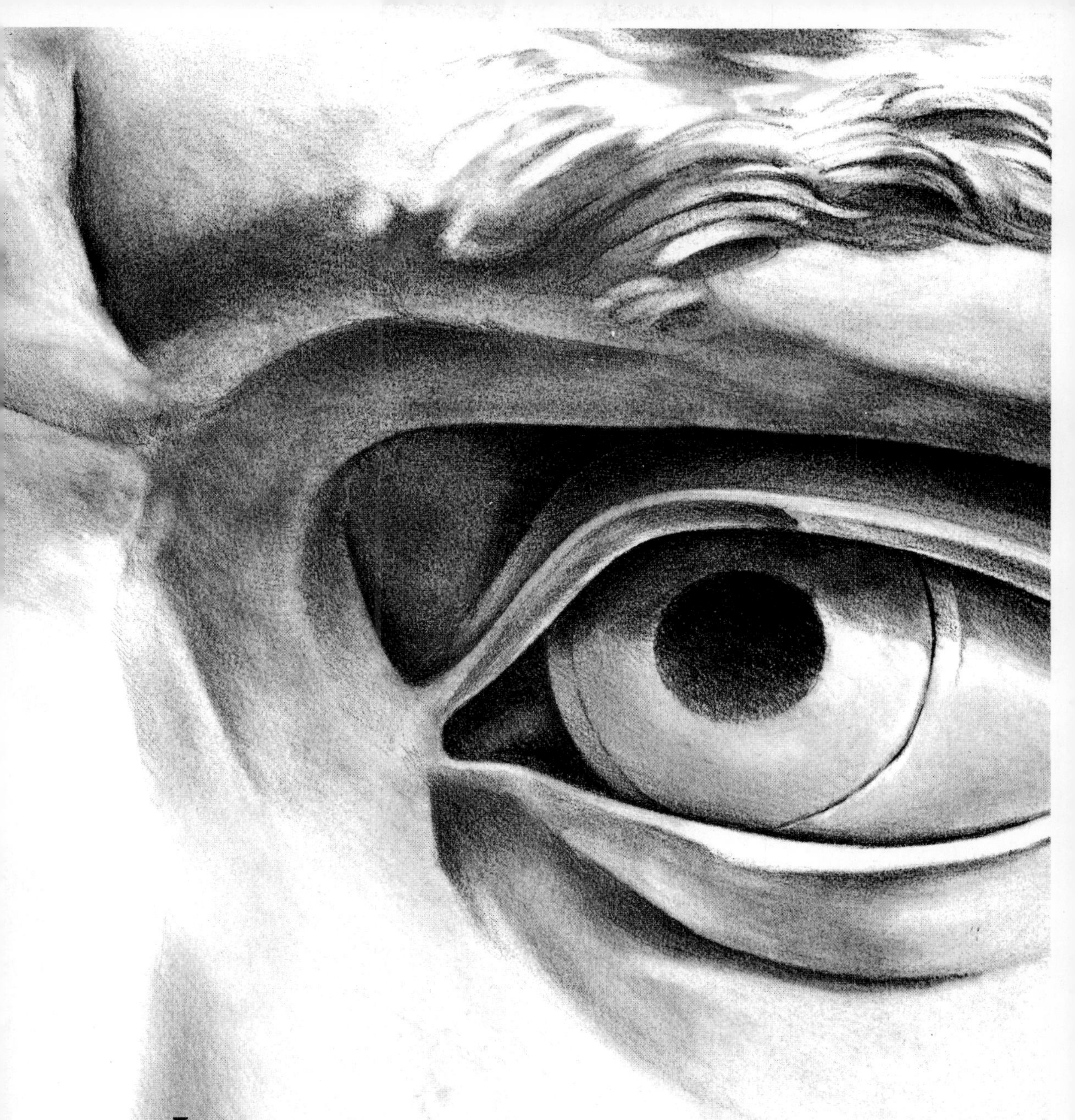

Lorsque la mère de David vient rendre visite à son fils, au moment où elle entre dans son champ de vision de nombreux phénomènes tout à fait extraordinaires se déroulent dans la tête de celui-ci. L'image de sa mère pénètre dans les yeux de David à travers les ouvertures situées au centre de chaque œil : les pupilles.

Juste derrière chaque pupille se trouve une lentille (le cristallin) qui focalise et projette l'image sur une couche de cellules nerveuses photosensibles : la rétine. Celle-ci tapisse l'intérieur du globe oculaire. L'image étant inversée après avoir traversé le cristallin, il vous faudra retourner maintenant le livre pour suivre cette image et les explications qui l'accompagnent.

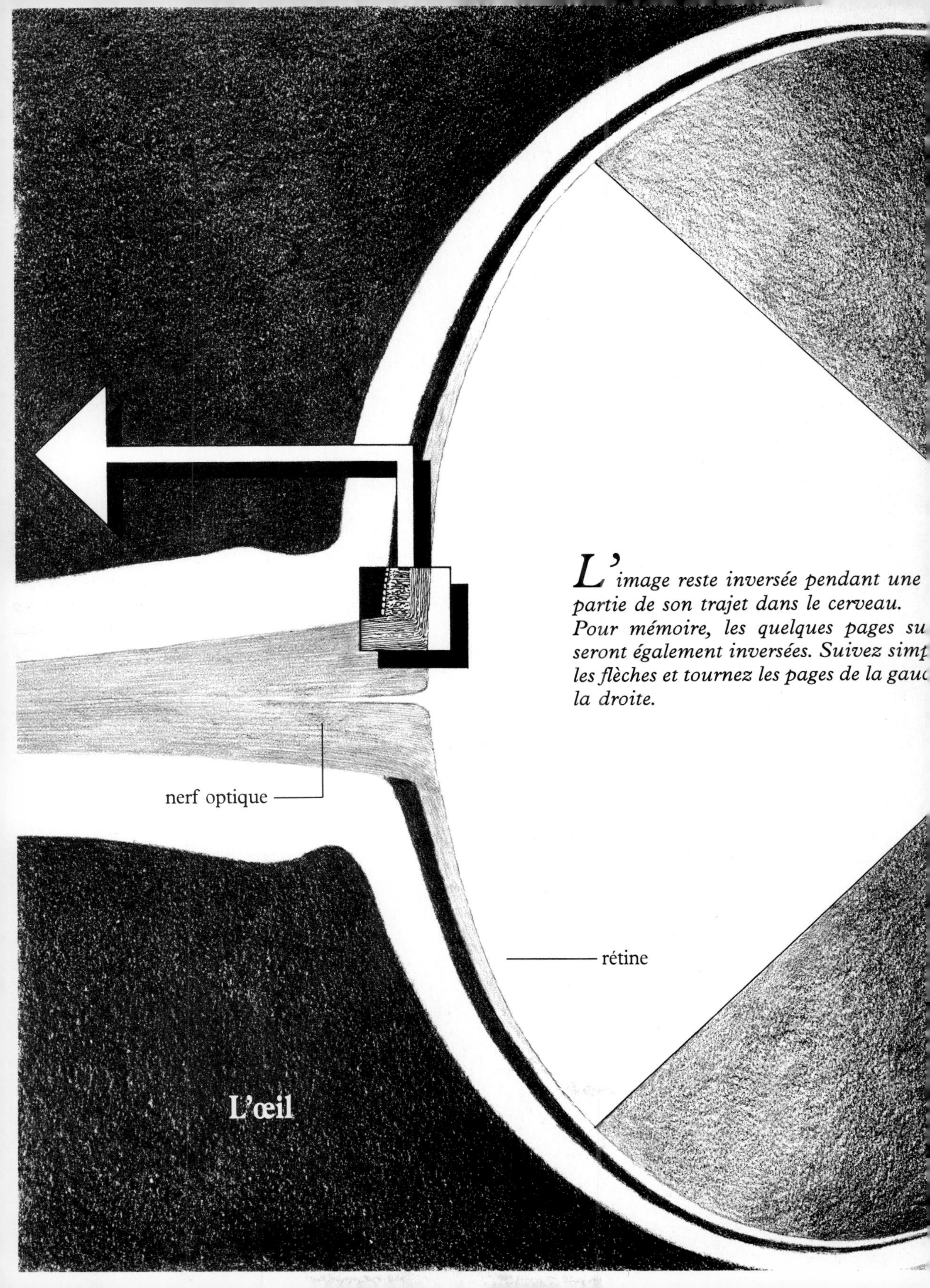
L'image reste inversée pendant une
partie de son trajet dans le cerveau.
Pour mémoire, les quelques pages su
seront également inversées. Suivez simp
les flèches et tournez les pages de la gau
la droite.
nerf optique
rétine
L'œil

Avant d'atteindre les cellules nerveuses de la rétine, la lumière doit tout d'abord traverser les fibres qui vont finalement transmettre les messages codés des yeux vers le reste du cerveau. Les premières cellules réceptrices de la rétine, appelées bâtonnets et cônes, sont des cellules pigmentées. Les cellules nerveuses de la rétine, y compris les cellules bipolaires, les cellules horizontales et les cellules ganglionnaires, permettent d'affiner le message de chaque cône et de chaque bâtonnet. Chaque cône et chaque bâtonnet ne répondant qu'aux fragments de lumière qui l'atteint, la rétine transmet finalement l'image de la mère de David sous forme d'une série de points ou plus exactement d'impulsions électriques. C'est sous cette forme que l'information est envoyée au relais suivant. En quittant l'œil, les fibres qui conduisent les messages codés sont groupées en deux faisceaux massifs, appelés nerfs optiques, qui prennent leur origine dans les cellules ganglionnaires de la rétine.

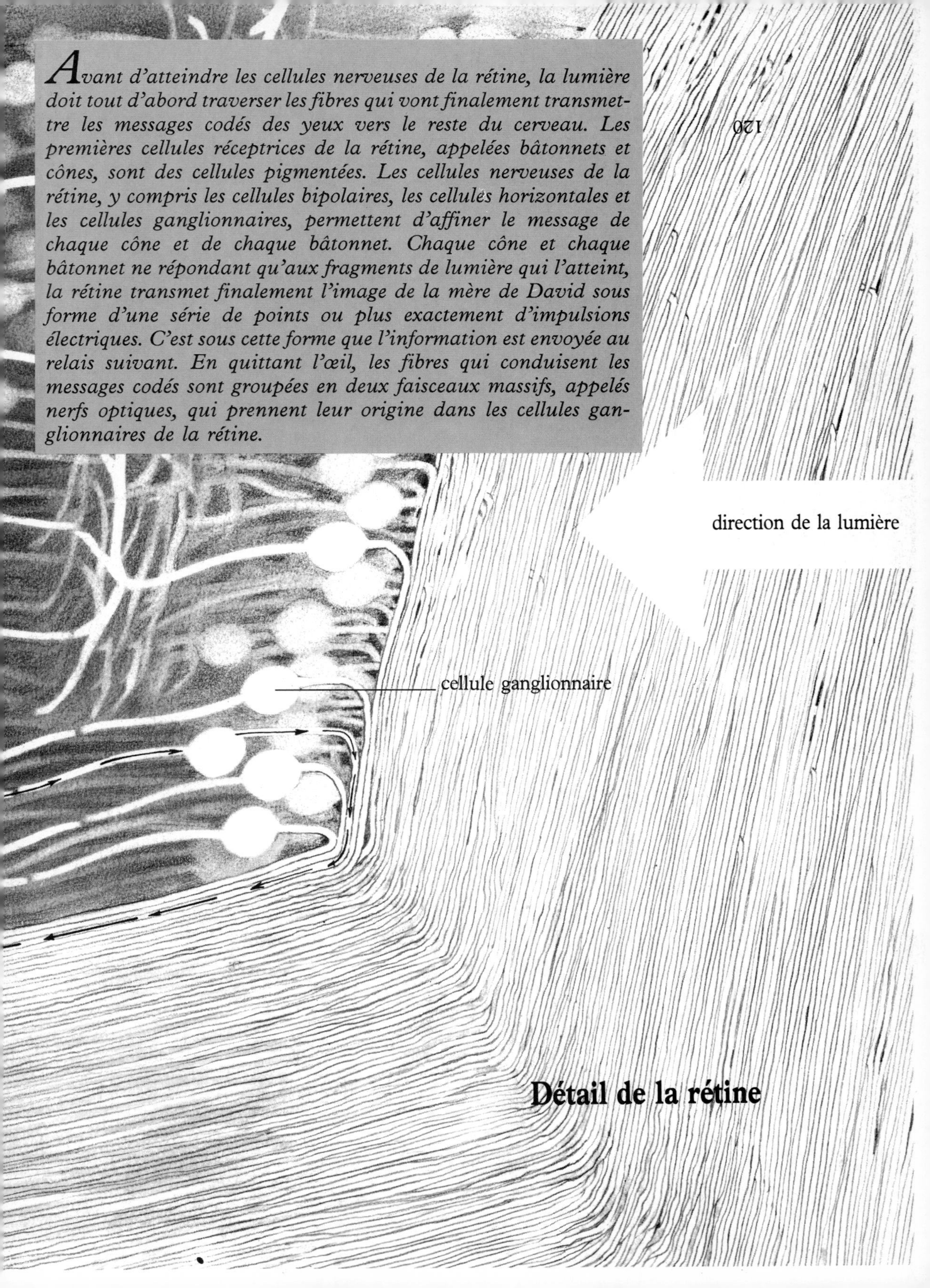

Détail de la rétine

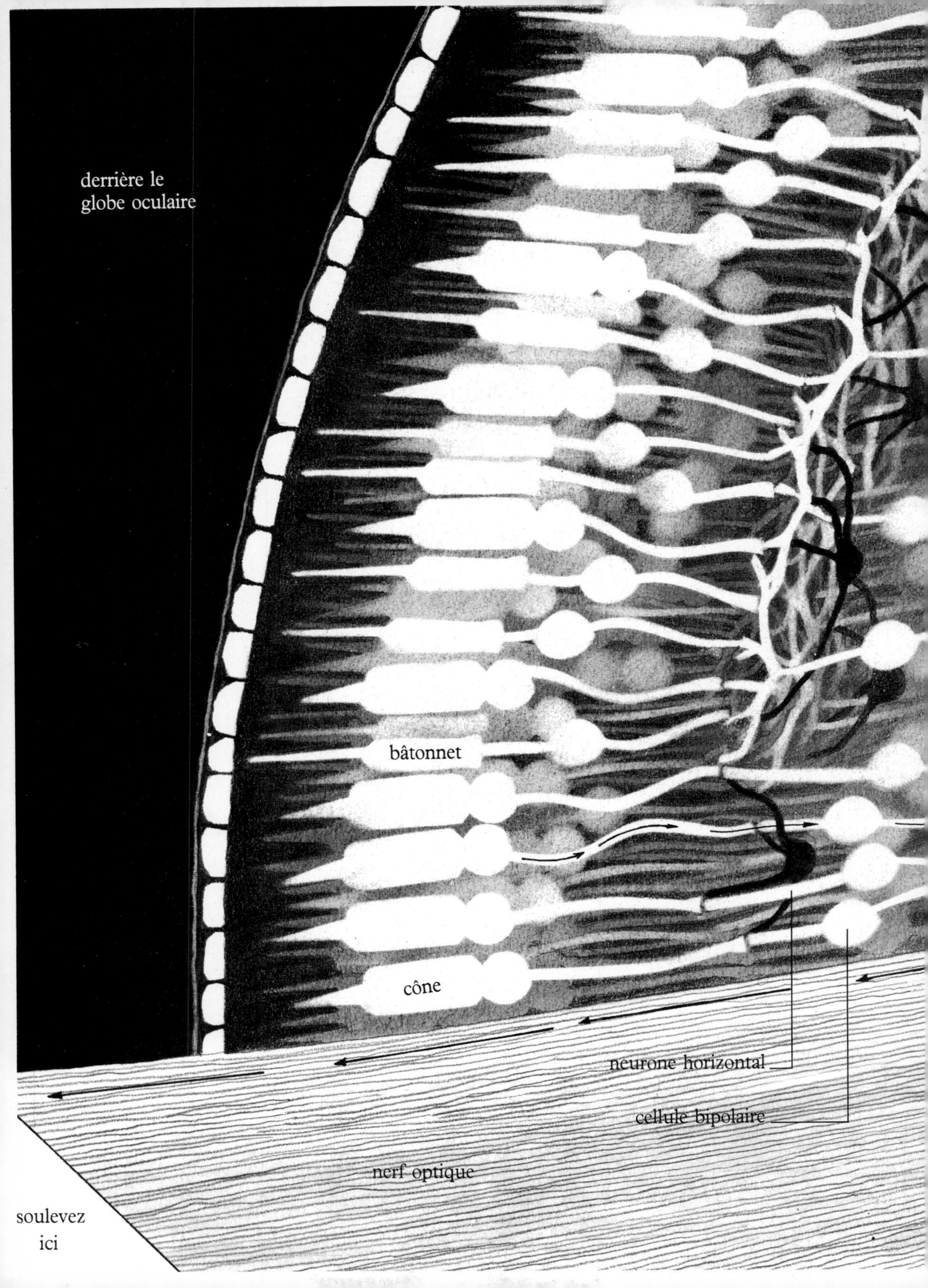
derrière le
globe oculaire
bâtonnet
cône
neurone horizontal
cellule bipolaire
nerf optique
soulevez
ici

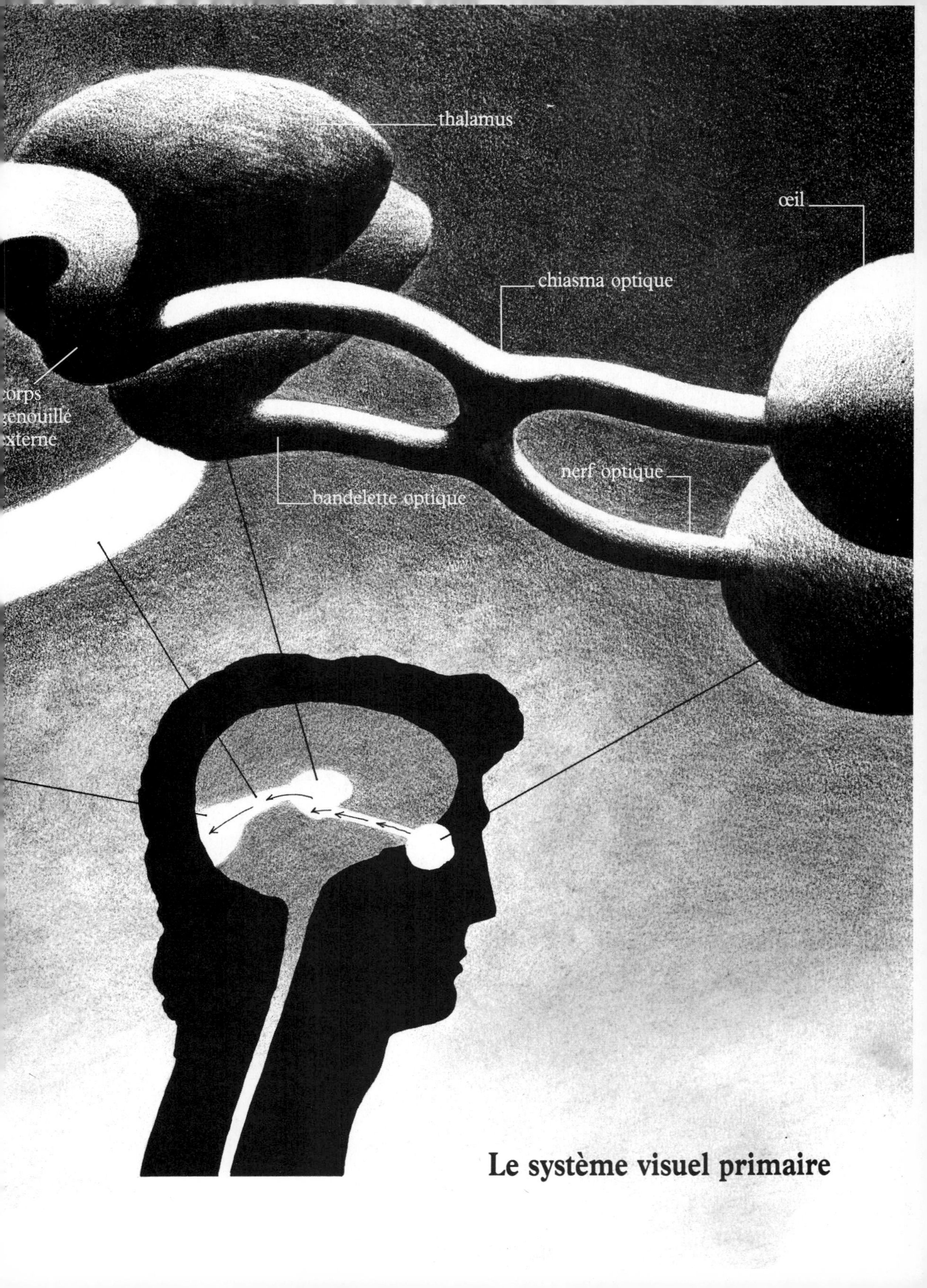

Le système visuel primaire

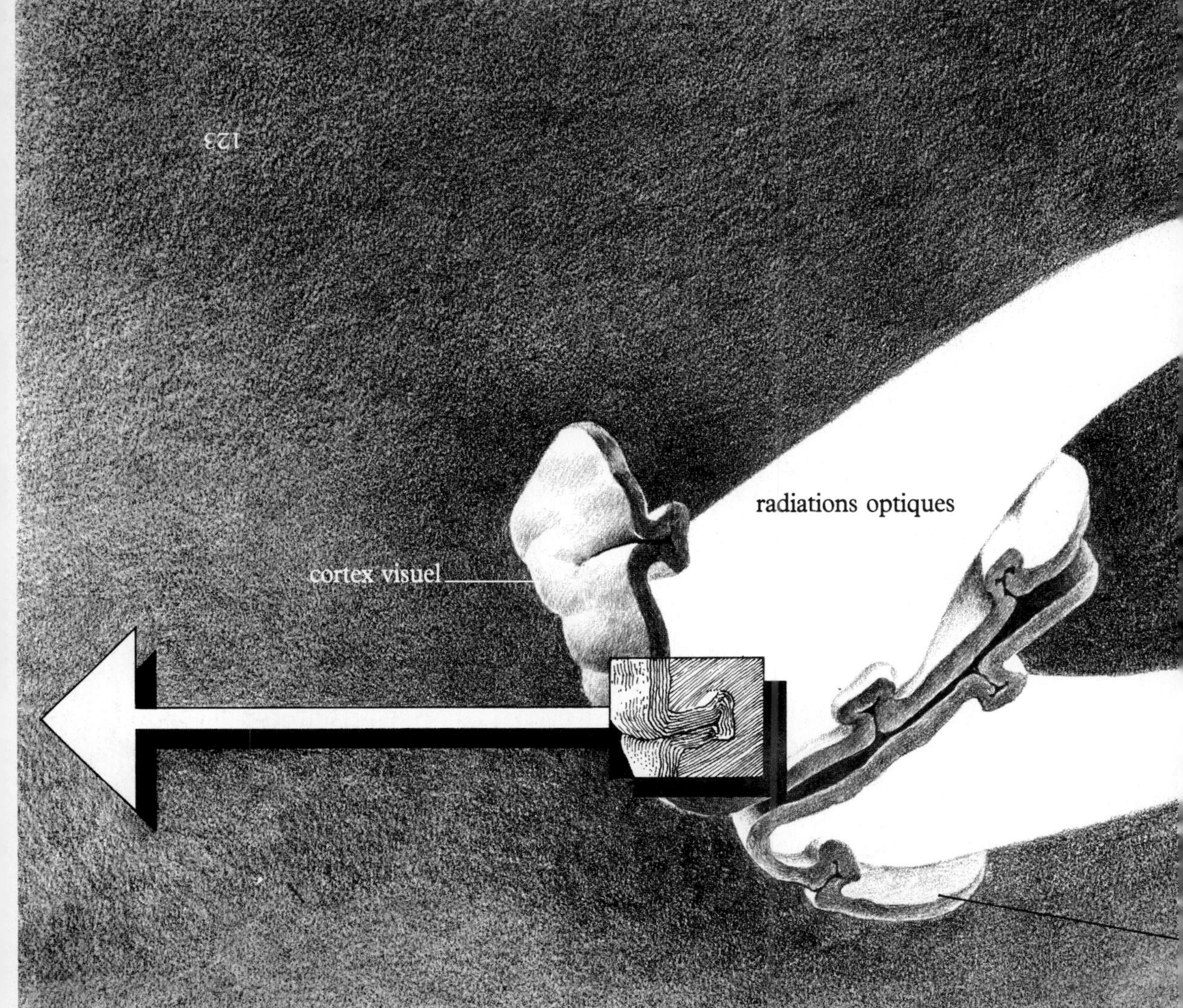

Un nerf optique s'éloigne du cône postérieur du globe oculaire et rejoint peu après le nerf optique du côté opposé, au niveau du chiasma optique. Là, à peu près la moitié des fibres qui viennent d'un œil changent de côté pour se rendre à l'hémisphère cérébral opposé ; l'autre moitié des fibres optiques continuent leur trajet du même côté. Les faisceaux de fibres qui quittent alors le chiasma s'appellent les bandelettes optiques ; elles délivrent leur message dans chaque thalamus à une région appelée corps genouillé externe. Chaque impulsion électrique est enregistrée par une couche cellulaire spécifique dans le corps genouillé externe ; le message complet n'en est pas modifié pour autant ; il poursuit son trajet dans deux grands ensembles de fibres que l'on appelle les radiations optiques ; celles-ci vont jusqu'au lobe occipital de chaque hémisphère, où le message est décrypté par le cortex visuel.

Détail du cortex visuel

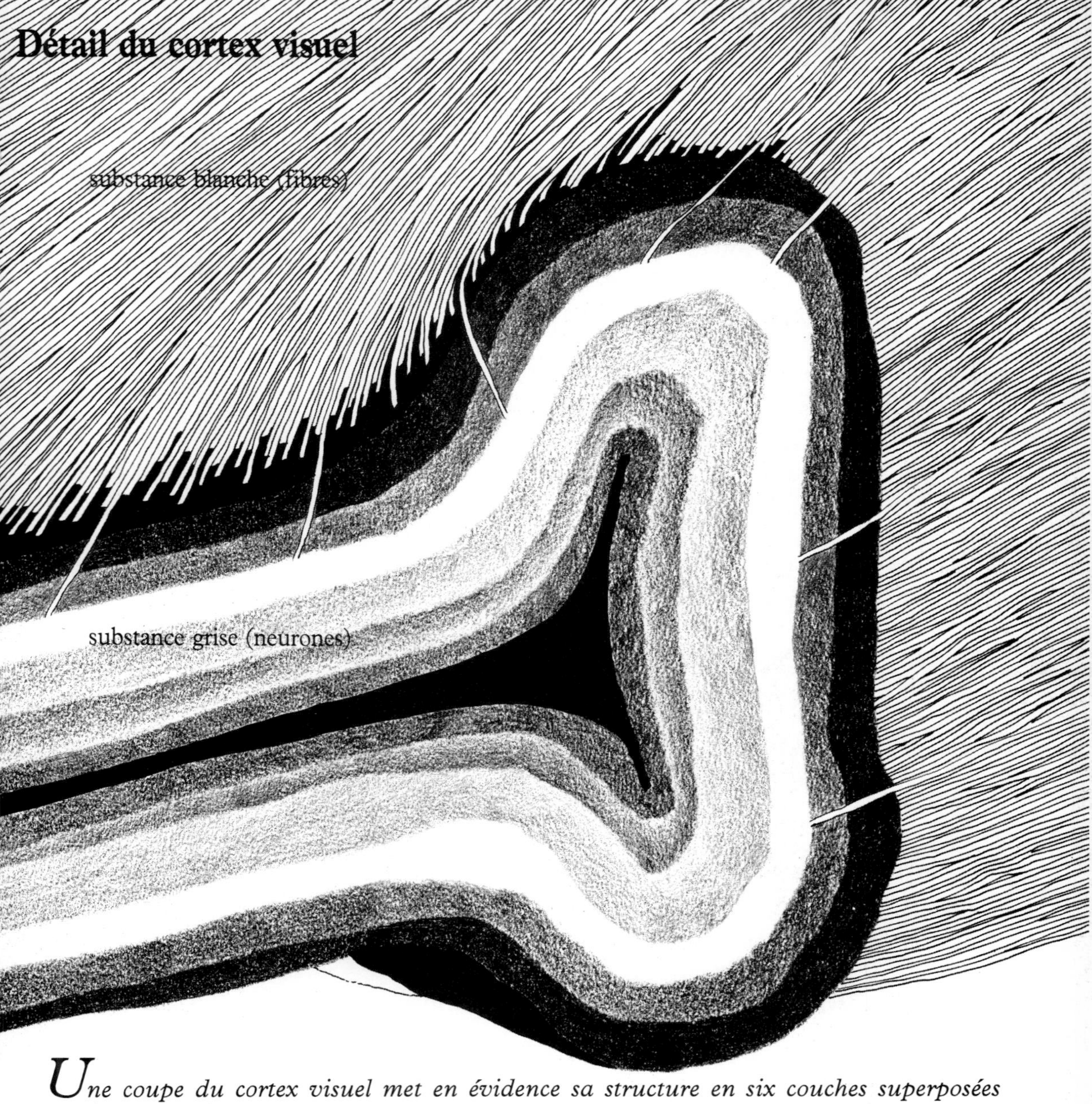

Une coupe du cortex visuel met en évidence sa structure en six couches superposées (couches I à VI). Chaque couche contient des cellules de forme et de complexité variable dont la spécialisation lui permet de répondre à différents types d'information. Ces cellules sont interconnectées, aussi bien dans un plan horizontal (c'est-à-dire d'une couche à l'autre), que dans un plan vertical (d'une colonne à l'autre). Toutes les informations venant d'un œil pénètrent dans la couche IV et de là sont répercutées aux autres couches du cortex visuel.

Les stries noires et blanches situées à la surface de ce cortex représentent la tendance de chaque œil à dominer des aires cellulaires alternées. C'est ce qu'on appelle la dominance oculaire. Les cellules dominées par l'œil droit sont représentées par les stries blanches et celles dominées par l'œil gauche le sont par les stries noires. Cet arrangement en stries est la conséquence de la compétition des fibres venant de chacun des deux yeux pour les cellules du cortex visuel.

I
II
III
IV
V
VI
cellules contrôlées
par l'œil gauche
cellules contrôlées
par l'œil droit

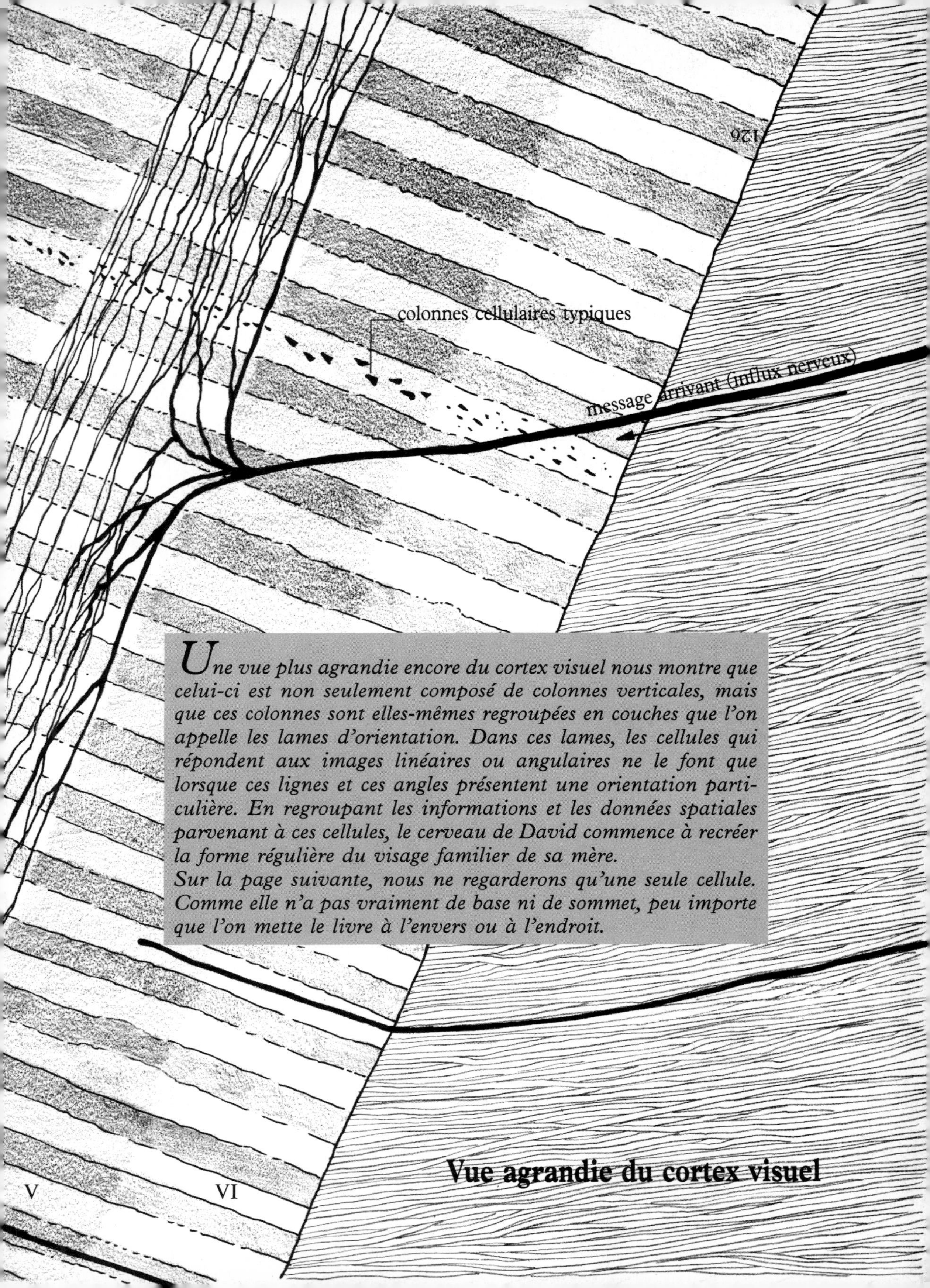

Une vue plus agrandie encore du cortex visuel nous montre que celui-ci est non seulement composé de colonnes verticales, mais que ces colonnes sont elles-mêmes regroupées en couches que l'on appelle les lames d'orientation. Dans ces lames, les cellules qui répondent aux images linéaires ou angulaires ne le font que lorsque ces lignes et ces angles présentent une orientation particulière. En regroupant les informations et les données spatiales parvenant à ces cellules, le cerveau de David commence à recréer la forme régulière du visage familier de sa mère.
Sur la page suivante, nous ne regarderons qu'une seule cellule. Comme elle n'a pas vraiment de base ni de sommet, peu importe que l'on mette le livre à l'envers ou à l'endroit.

Vue agrandie du cortex visuel

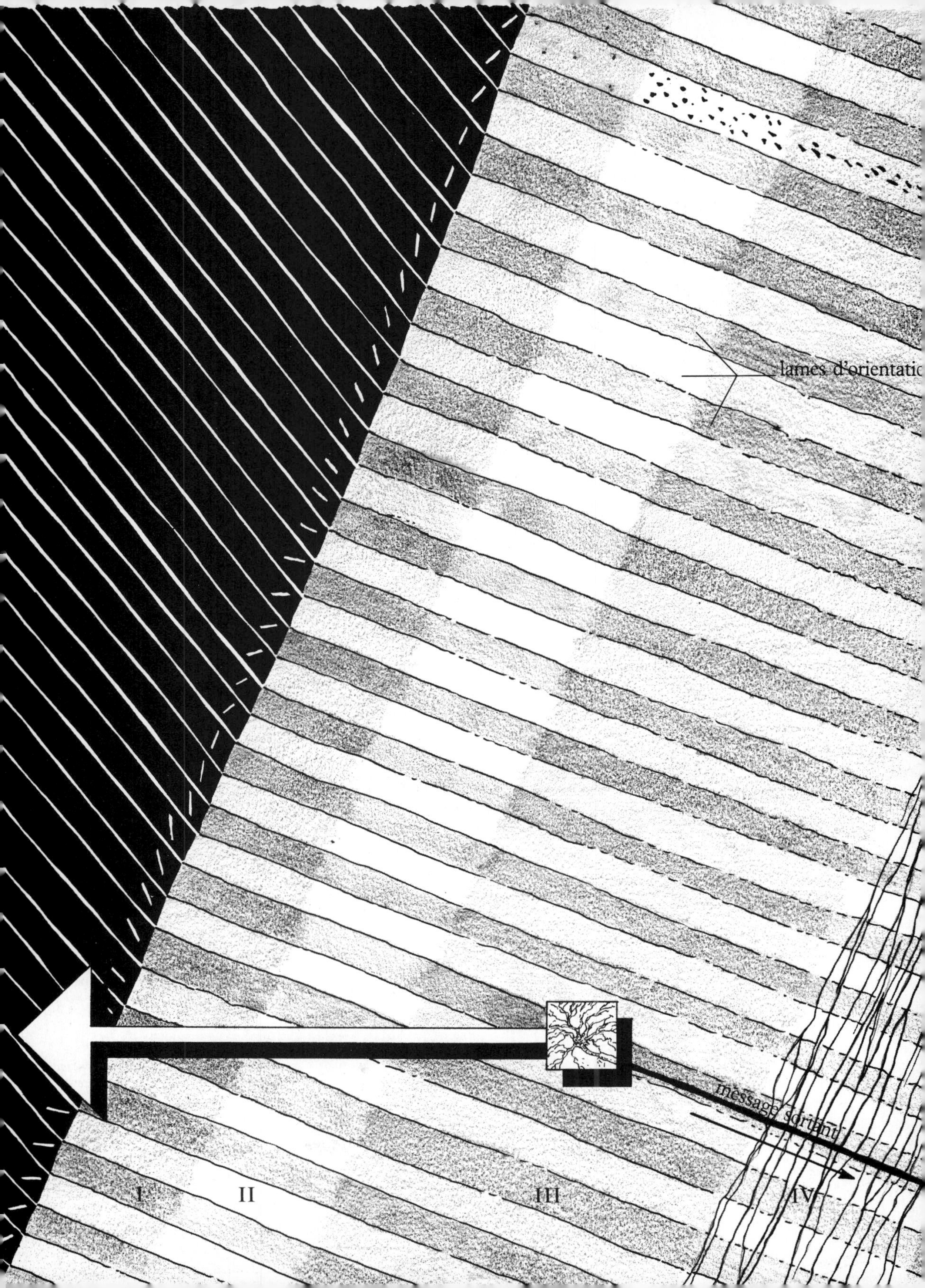
lames d'orientatio
message sortant
I
II
III
IV

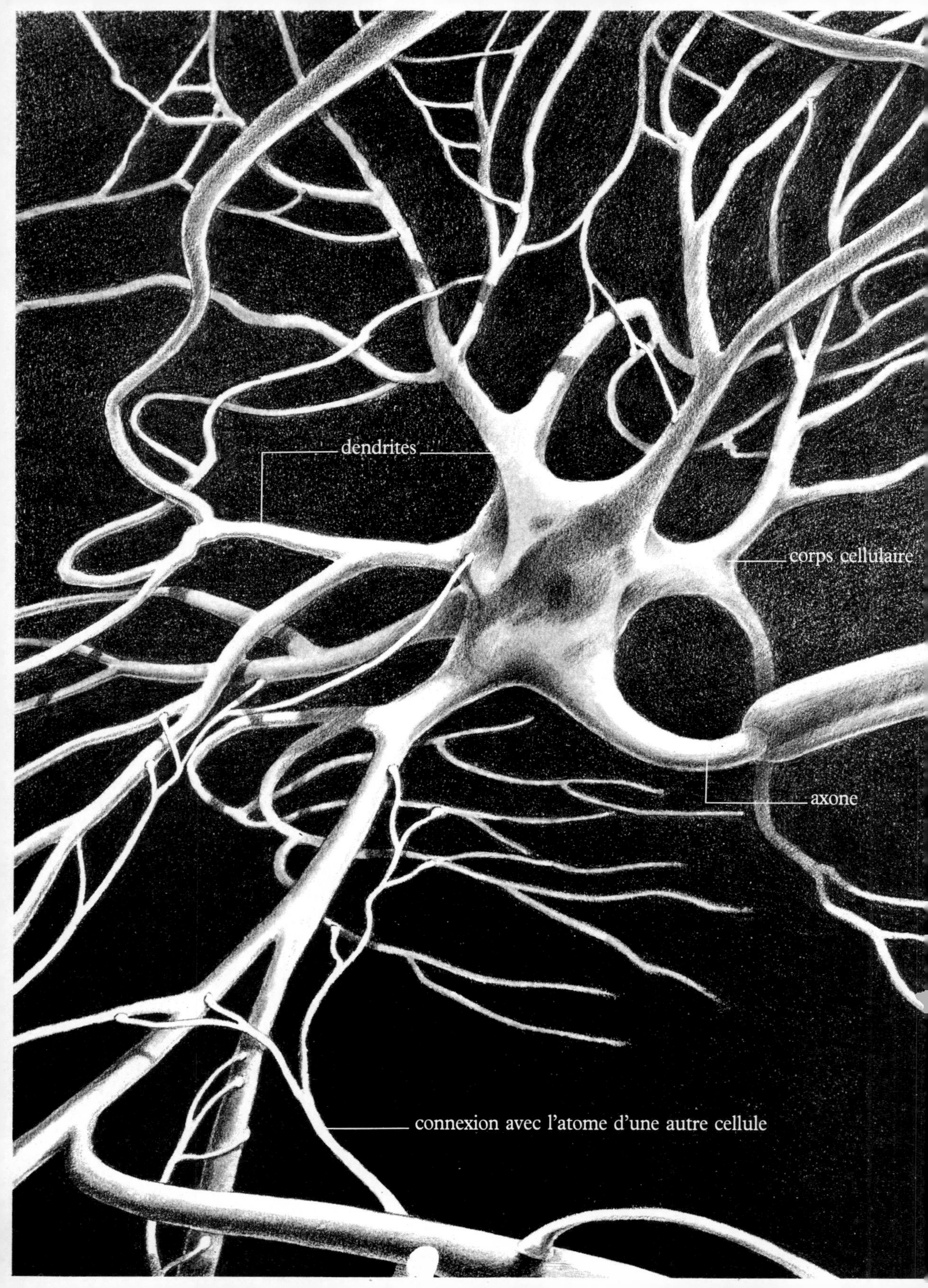
dendrites
corps cellulaire
axone
connexion avec l'atome d'une autre cellule

Une cellule typique

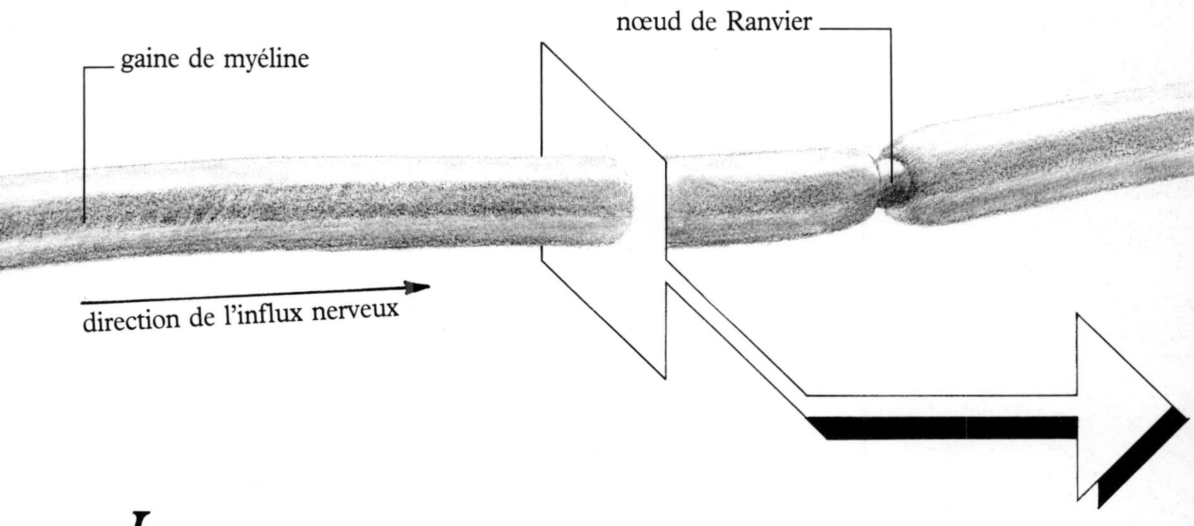

Le cortex est constitué de milliards de cellules, avec des milliards d'interconnexions. Chaque corps cellulaire envoie de nombreux prolongements dans toutes les directions. La fibre la plus volumineuse est appelée axone ; elle transporte les messages du corps cellulaire vers la périphérie. Toutes les autres branches sont appelées dendrites et reçoivent les messages venant des axones des autres neurones.

La membrane qui entoure chaque cellule nerveuse contient de très petits trous appelés canaux, par lesquels certaines molécules peuvent transiter. Le message, ou influx nerveux, est transmis le long de l'axone grâce à des mouvements séquentiels de particules chargées d'électricité (les ions) qui traversent ces canaux axonaux.

gaine de myéline
membrane axonale

Lorsque les canaux situés près du corps cellulaire s'ouvrent, les ions pénètrent dans l'axone : c'est le début de l'influx nerveux. Le flux des ions inverse, à cet endroit précis et pour une durée très courte, l'équilibre électrique à l'intérieur et à l'extérieur de l'axone. Le temps que l'équilibre ionique soit rétabli à ce niveau, les canaux immédiatement adjacents s'ouvrent à leur tour et l'influx nerveux se déplace vers ces derniers. Cette réaction en chaîne se poursuit jusqu'à l'extrémité de l'axone, transportant ainsi le message nerveux.

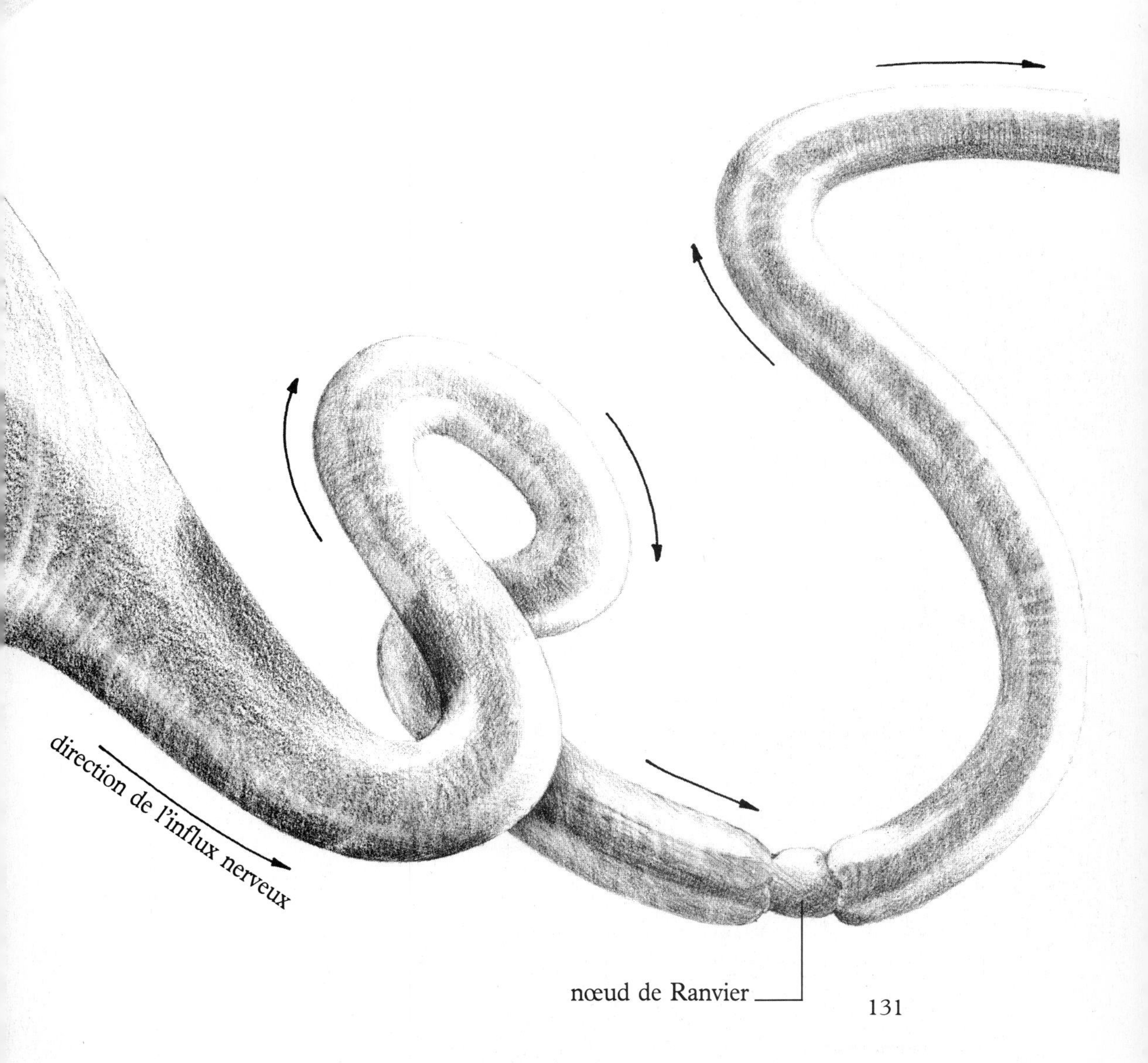

Lorsqu'un axone est recouvert d'une couche de myéline, laquelle agit comme une gaine isolante, le flux d'ions est limité aux seules zones situées entre les segments de myéline, zones qu'on appelle nœuds de Ranvier. Cela permet à l'influx nerveux de descendre beaucoup plus rapidement le long de l'axone ; cela est d'autant plus utile qu'il existe dans le corps humain des axones dont la longueur peut dépasser 90 cm. Lorsque l'influx arrive à l'extrémité de l'axone, il entraîne une réaction dans les nombreux boutons synaptiques qui le relient aux dendrites des cellules réceptrices.

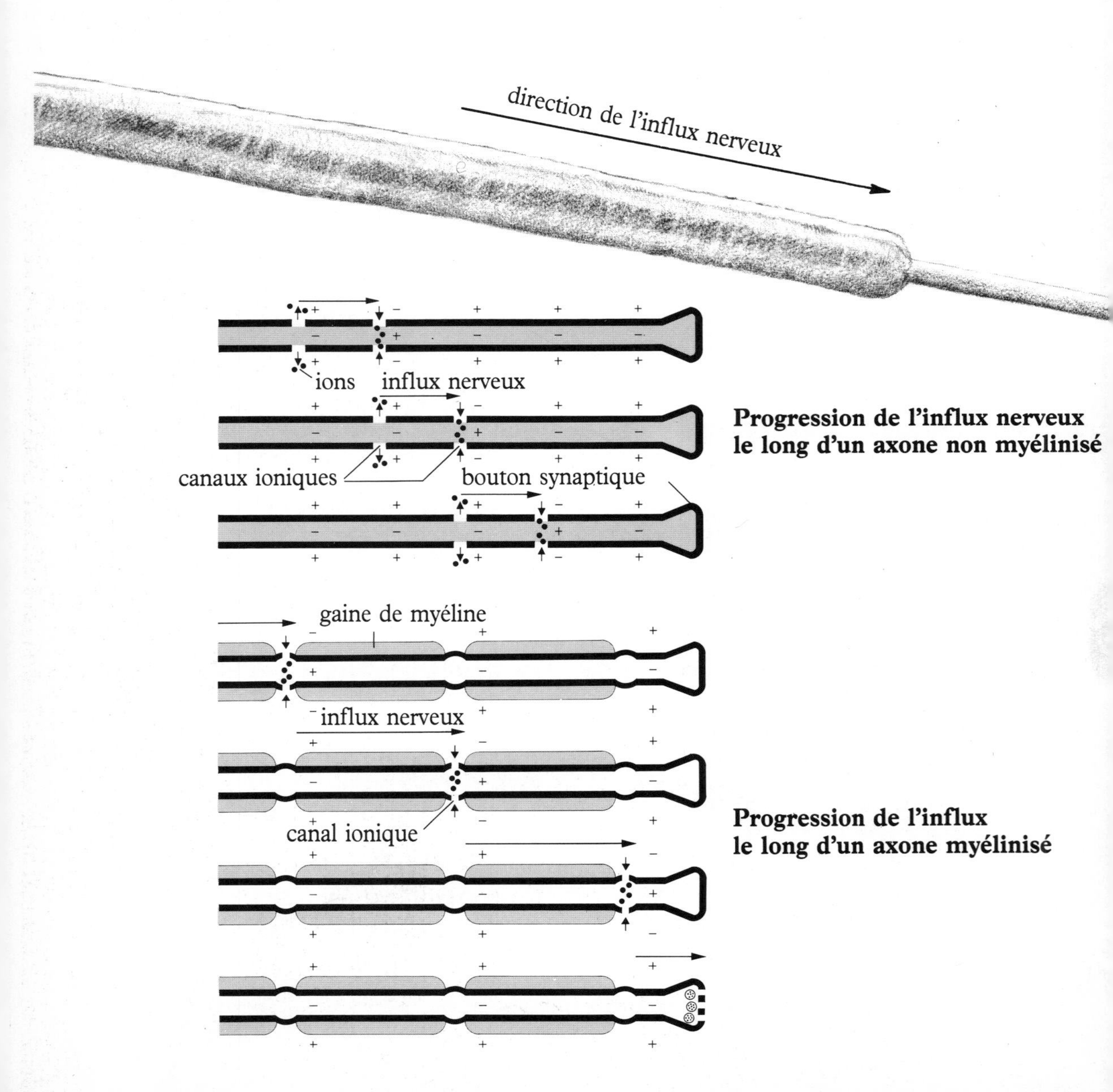

Progression de l'influx nerveux le long d'un axone non myélinisé

Progression de l'influx le long d'un axone myélinisé

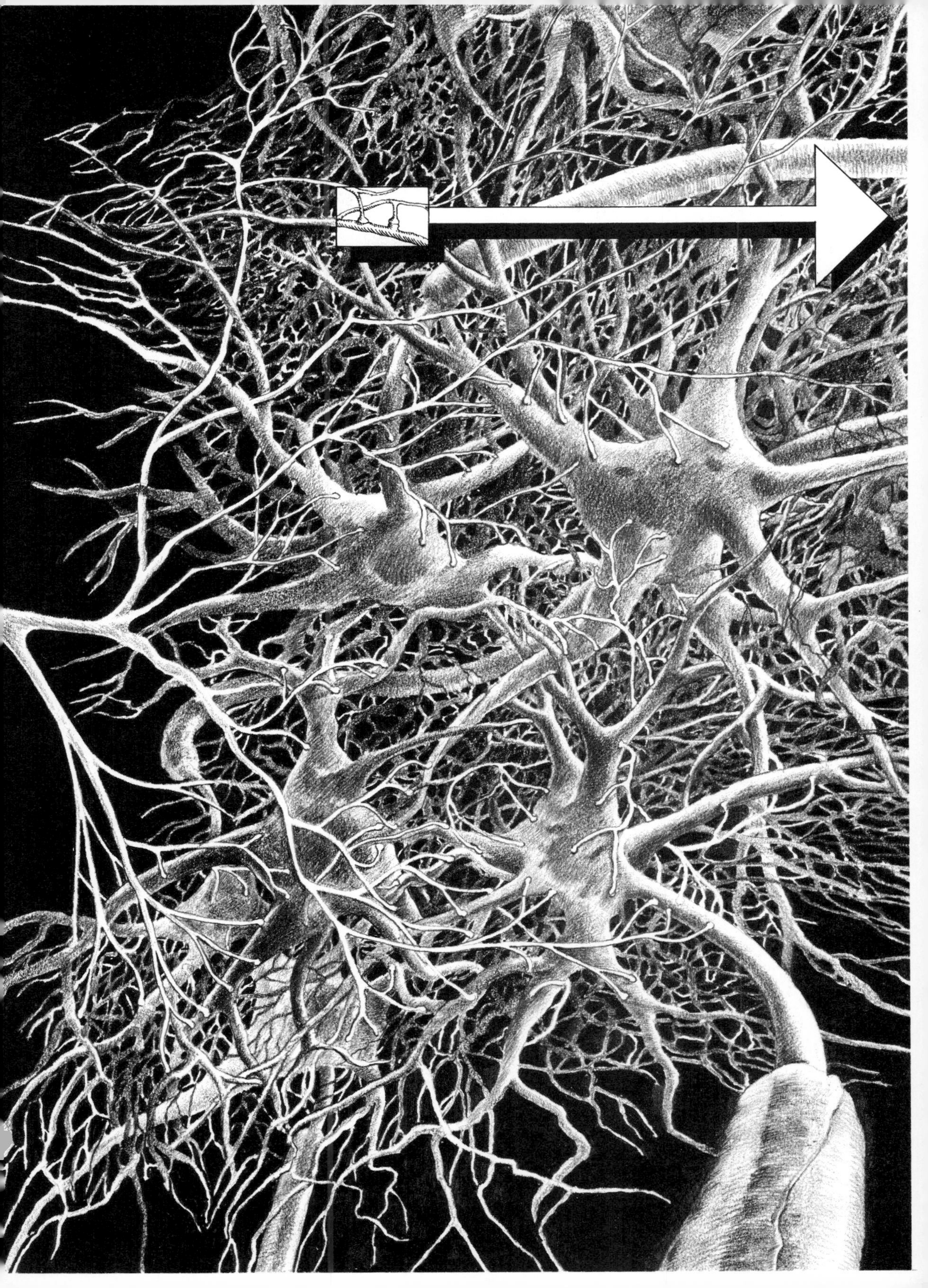

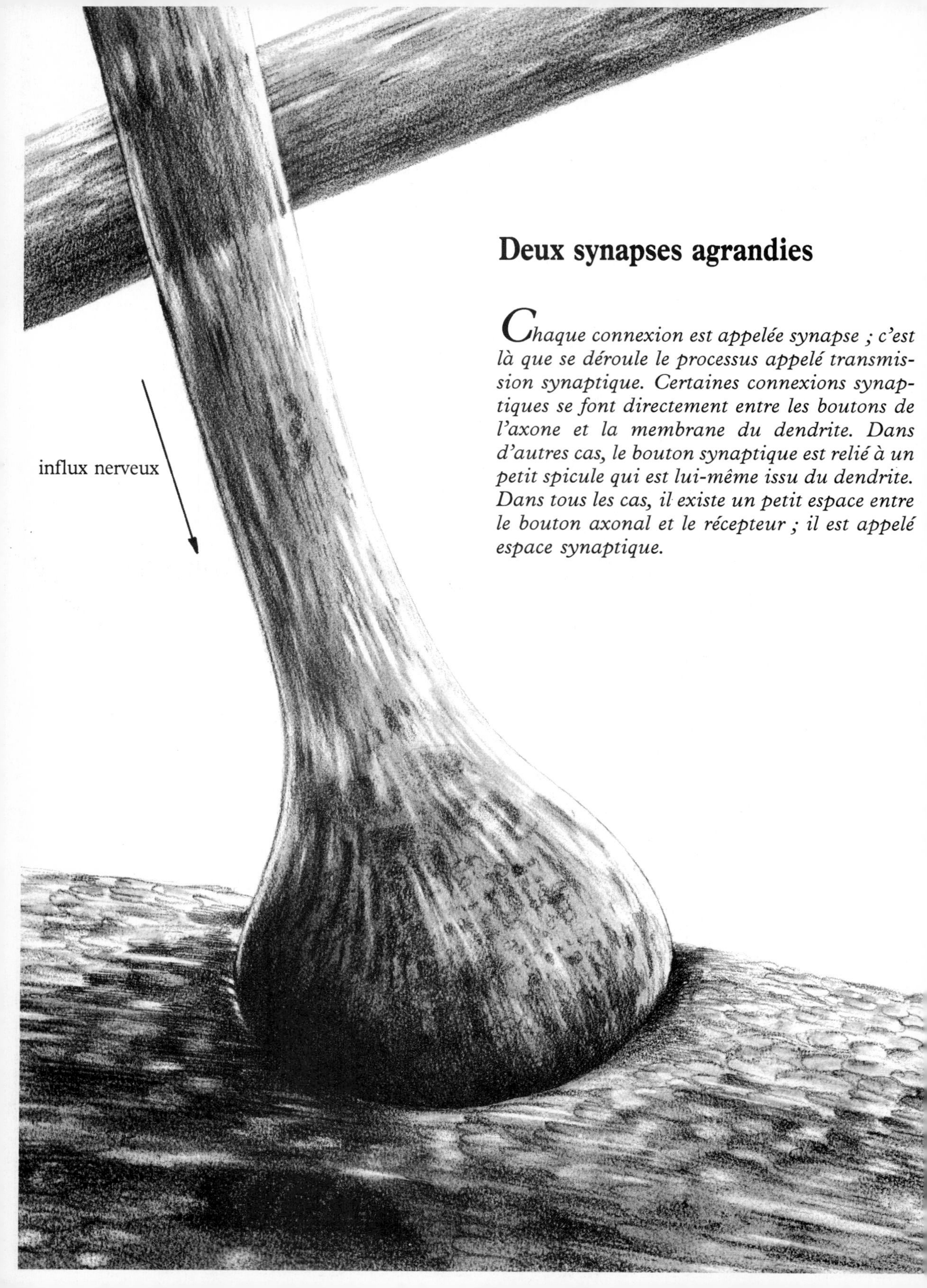

Deux synapses agrandies

Chaque connexion est appelée synapse ; c'est là que se déroule le processus appelé transmission synaptique. Certaines connexions synaptiques se font directement entre les boutons de l'axone et la membrane du dendrite. Dans d'autres cas, le bouton synaptique est relié à un petit spicule qui est lui-même issu du dendrite. Dans tous les cas, il existe un petit espace entre le bouton axonal et le récepteur ; il est appelé espace synaptique.

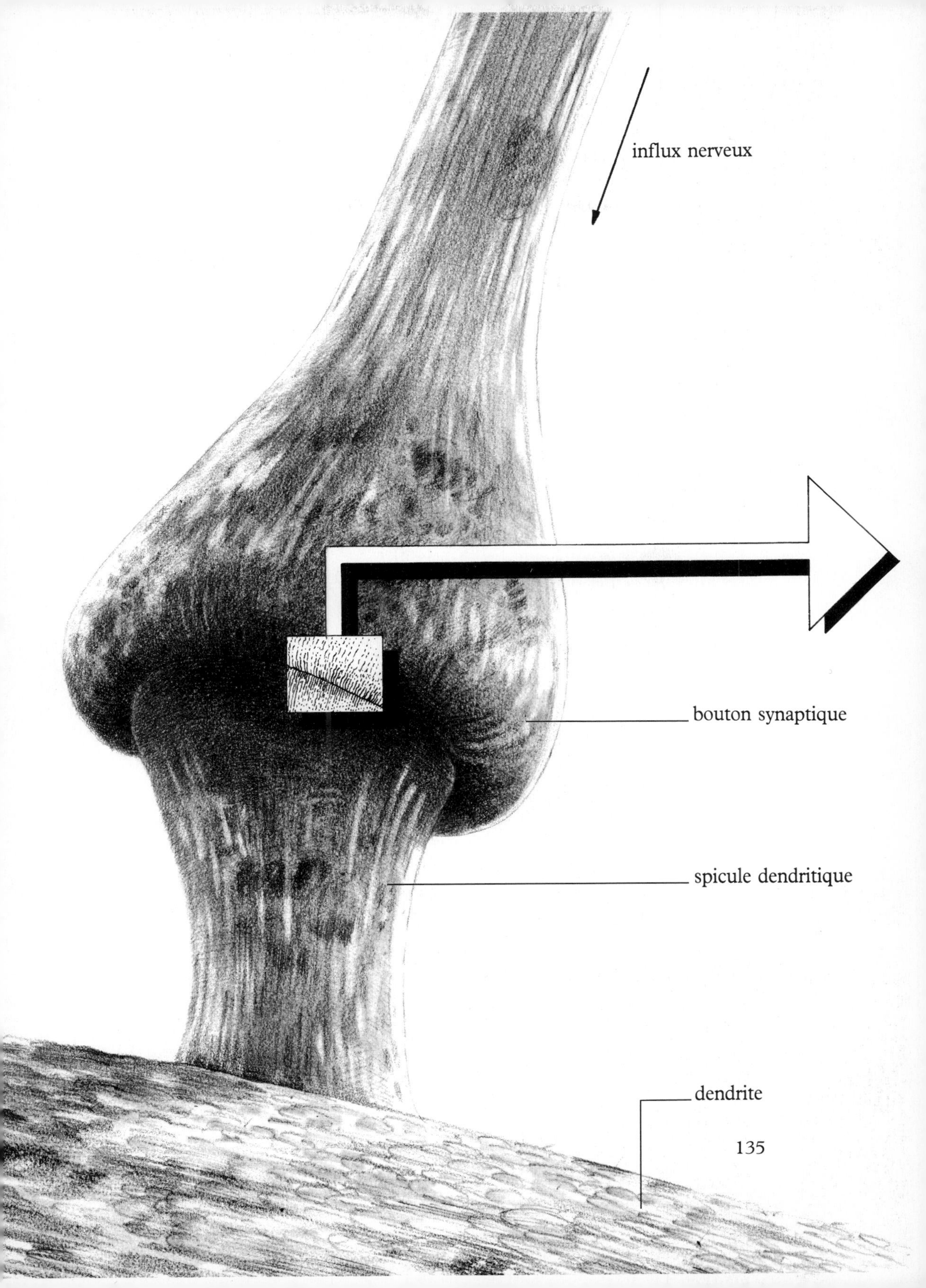
influx nerveux
bouton synaptique
spicule dendritique
dendrite

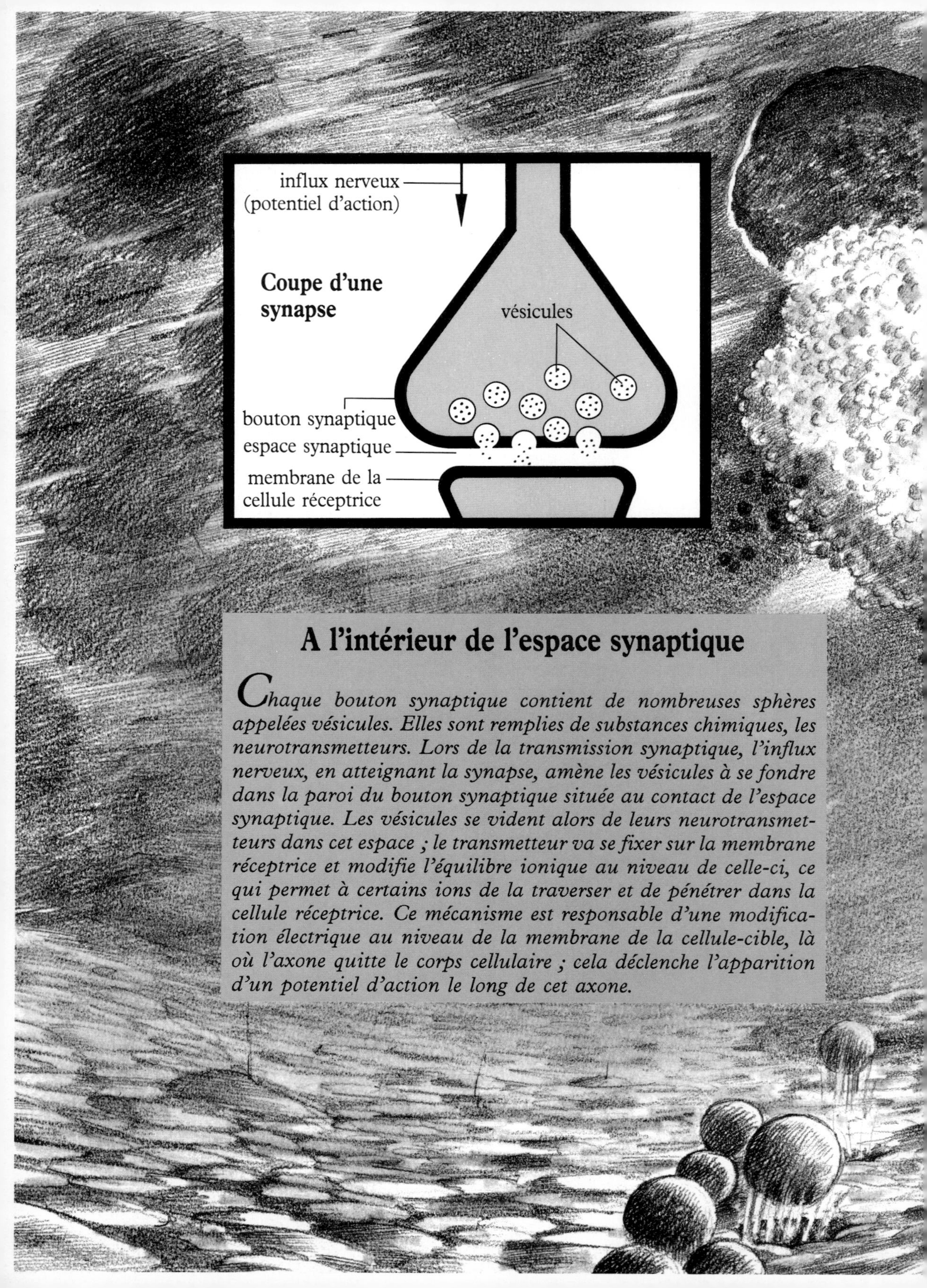

A l'intérieur de l'espace synaptique

Chaque bouton synaptique contient de nombreuses sphères appelées vésicules. Elles sont remplies de substances chimiques, les neurotransmetteurs. Lors de la transmission synaptique, l'influx nerveux, en atteignant la synapse, amène les vésicules à se fondre dans la paroi du bouton synaptique située au contact de l'espace synaptique. Les vésicules se vident alors de leurs neurotransmetteurs dans cet espace ; le transmetteur va se fixer sur la membrane réceptrice et modifie l'équilibre ionique au niveau de celle-ci, ce qui permet à certains ions de la traverser et de pénétrer dans la cellule réceptrice. Ce mécanisme est responsable d'une modification électrique au niveau de la membrane de la cellule-cible, là où l'axone quitte le corps cellulaire ; cela déclenche l'apparition d'un potentiel d'action le long de cet axone.

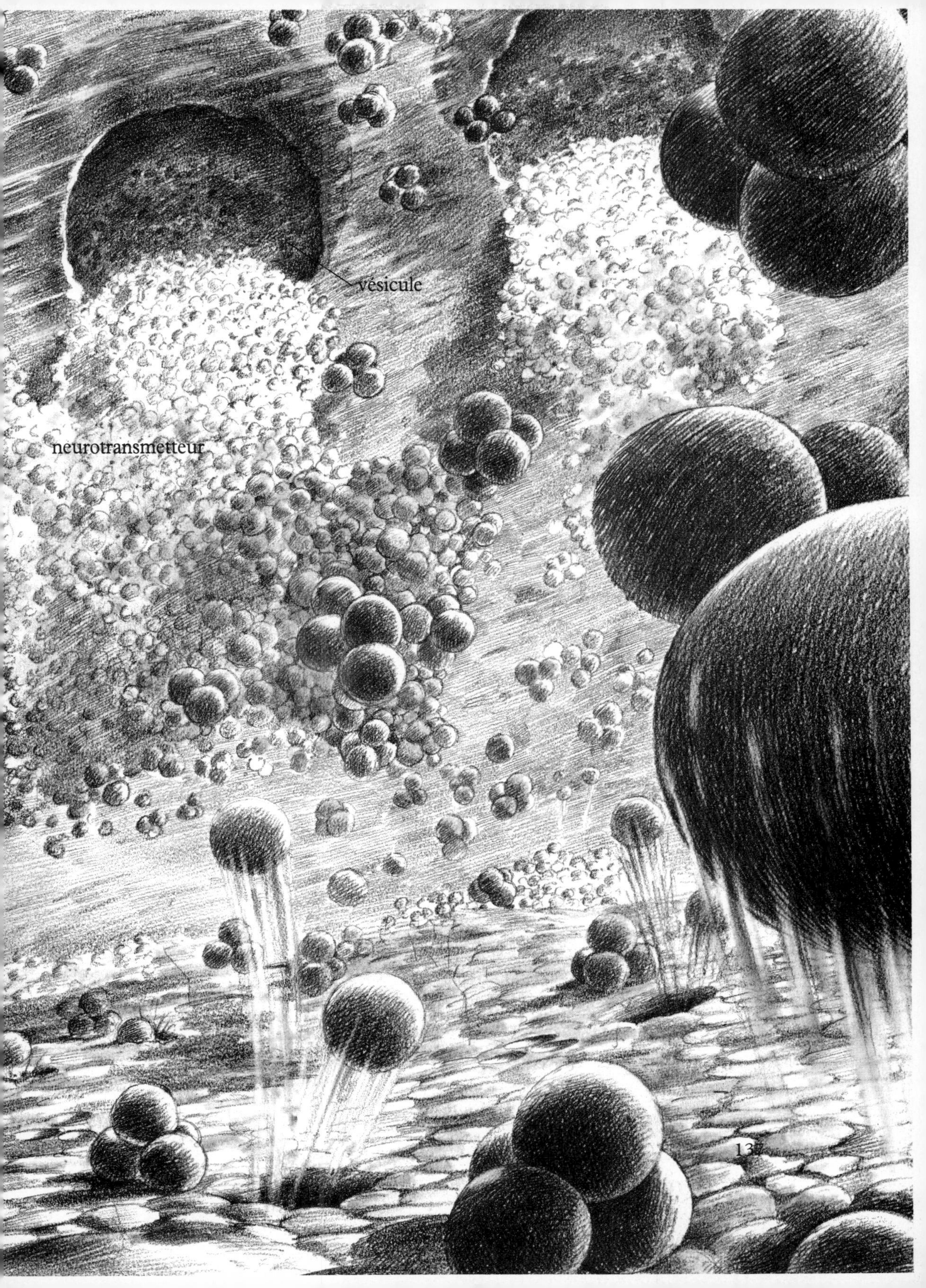
vésicule
neurotransmetteur

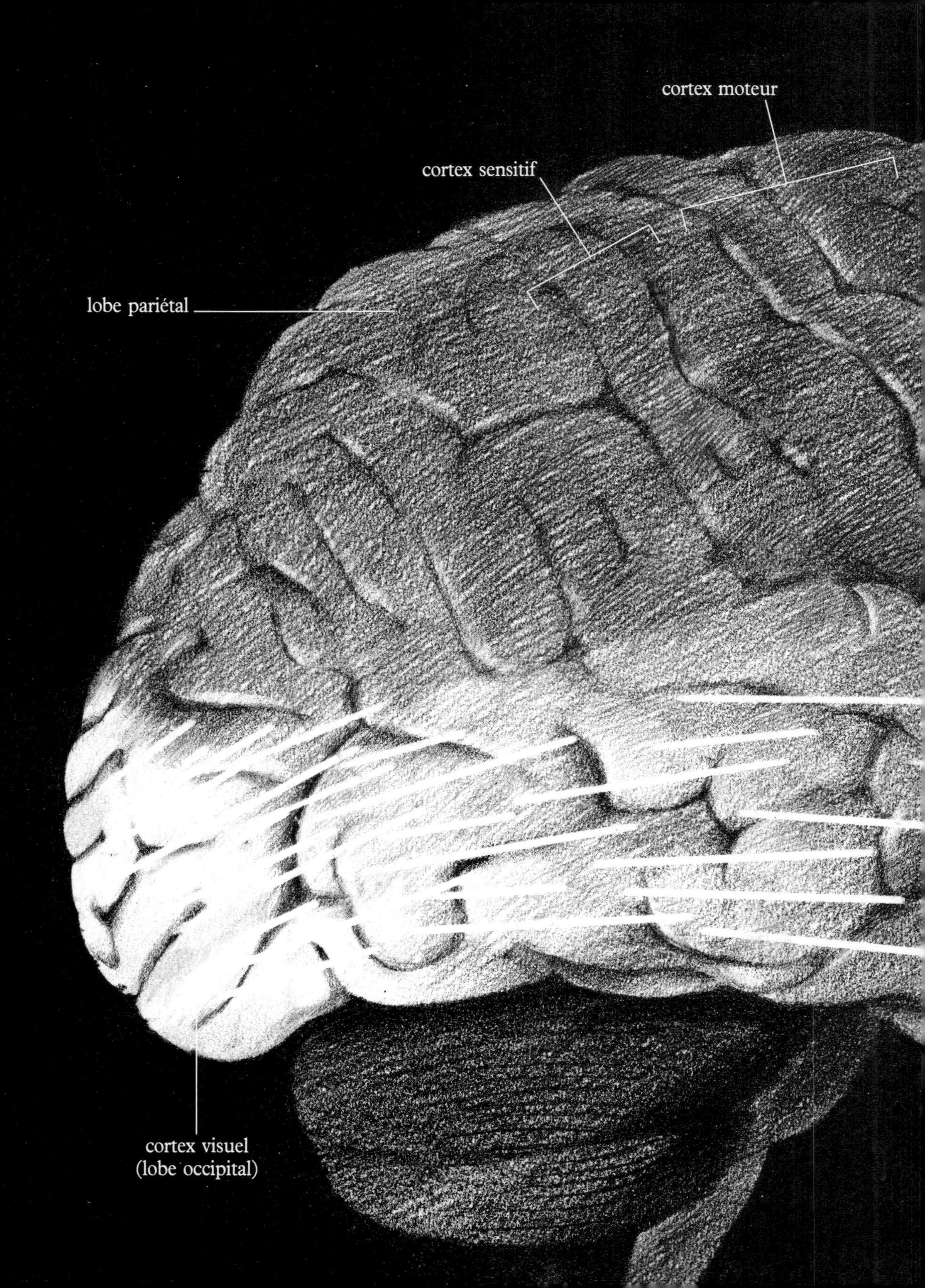
cortex moteur
cortex sensitif
lobe pariétal
cortex visuel
(lobe occipital)

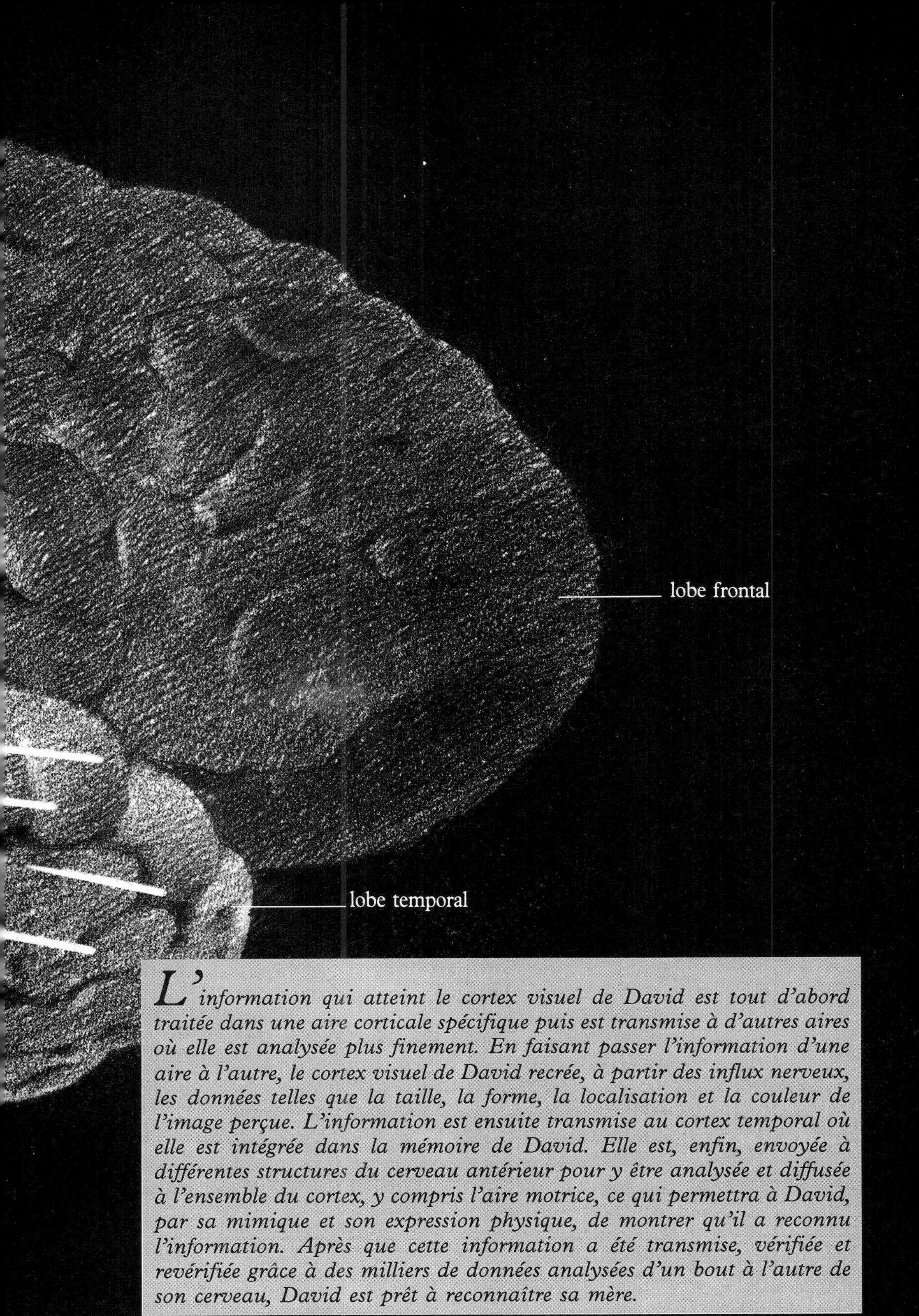

L'information qui atteint le cortex visuel de David est tout d'abord traitée dans une aire corticale spécifique puis est transmise à d'autres aires où elle est analysée plus finement. En faisant passer l'information d'une aire à l'autre, le cortex visuel de David recrée, à partir des influx nerveux, les données telles que la taille, la forme, la localisation et la couleur de l'image perçue. L'information est ensuite transmise au cortex temporal où elle est intégrée dans la mémoire de David. Elle est, enfin, envoyée à différentes structures du cerveau antérieur pour y être analysée et diffusée à l'ensemble du cortex, y compris l'aire motrice, ce qui permettra à David, par sa mimique et son expression physique, de montrer qu'il a reconnu l'information. Après que cette information a été transmise, vérifiée et revérifiée grâce à des milliers de données analysées d'un bout à l'autre de son cerveau, David est prêt à reconnaître sa mère.

MAMAN !

Il vous a fallu, pour lire le compte rendu extrêmement simplifié de cette suite incroyablement complexe d'événements, des milliers de fois plus longtemps que la fraction de seconde pendant laquelle l'événement lui-même s'est déroulé.

Deuxième partie

Le cerveau, l'intelligence et la mémoire

5

LA MÉMOIRE : LE CERVEAU MODULABLE

La faculté qu'a l'intelligence humaine d'apprendre, d'emmagasiner et de retenir de nouvelles informations, est un des phénomènes les plus remarquables de l'univers biologique. Tout ce qui fait de nous des humains — le langage, la pensée, la connaissance, la culture — est le résultat de cette extraordinaire aptitude.

Les souvenirs sont emmagasinés dans les neurones du cerveau grâce à des modifications physiques intra-cellulaires. Si nous en connaissions le code, il nous serait possible de déchiffrer l'ensemble des expériences et des connaissances acquises au cours d'une existence, et qui sont fixées dans le cerveau. Ceci est peut-être le plus grand défi des sciences neurologiques : comprendre comment le cerveau conserve les données de la mémoire.

Un grand progrès dans la compréhension des systèmes mnésiques a été apporté par l'histoire d'un patient, monsieur H. M., qui a subi une intervention neurochirurgicale pour traiter une épilepsie grave. L'intervention a été efficace car elle a guéri l'épilepsie. Mais elle a eu des effets secondaires si sérieux que ce type particulier d'intervention n'a plus été pratiqué.

Supposez que vous soyez un spécialiste de la fonction et du comportement cérébral chez l'homme — c'est-à-dire un psychologue ou un psychiatre — et que vous soyez amené à examiner monsieur H. M. Vous savez qu'il a subi une intervention cérébrale, et vous désirez voir si ses capacités mnésiques et intellectuelles ont été lésées de façon quelconque. Vous savez également que l'intervention a eu lieu voici plusieurs années et qu'elle a guéri son épilepsie. Imaginons maintenant que vous soyez introduit dans sa chambre et présenté à lui. Votre entretien pourrait se dérouler comme ceci :

Vous : Bonjour Monsieur H. M., quel plaisir de vous rencontrer. Je suis le Docteur X.

Monsieur H. M. : Bonjour Docteur X.

Vous : Comment vous sentez-vous aujourd'hui ?

H. M. : Très bien merci.

Vous papotez ainsi quelques minutes pour mettre H. M à son aise. Puis :

Vous : Verriez-vous un inconvénient à répondre à quelques questions ?

H. M. : Pas du tout. J'adore être interrogé.

Vous : Qui était le Président des États-Unis pendant la Seconde Guerre mondiale ?

H. M. : Franklin Roosevelt, puis Harry Truman.

Vous : Vous souvenez-vous de ce qu'a fait le Président Truman lorsqu'il y a eu une grève des cheminots ?

H. M. : Il me semble qu'il a nationalisé les chemins de fer ou tout au moins qu'il a menacé de le faire.

Les questions et les réponses continuent de la sorte. Vous proposez également à H. M. des problèmes simples à résoudre et un court test d'intelligence. Les résultats paraissent tout à fait normaux. En fait, H. M. a une intelligence au-dessus de la moyenne et paraît être en pleine possession de ses facultés mentales. Vous commencez à vous demander si vous ne vous êtes pas trompé de patient.

Alors que vous poursuivez votre entretien, quelqu'un frappe à la porte pour vous annoncer qu'on vous demande d'urgence au téléphone dans un bureau voisin. Vous vous excusez auprès de H. M. et allez répondre au téléphone. C'est un collègue qui a un certain nombre de questions à vous poser sur un autre patient. La conversation dure à peu près dix minutes. Puis vous retournez dans la chambre de H. M.

Vous : Je suis désolé que le coup de téléphone ait duré si longtemps.

H. M. : Excusez-moi mais est-ce que je vous connais ? Je ne me rappelle pas vous avoir jamais rencontré.

Brutalement vous vous rendez compte de l'énormité du handicap de H. M. En l'interrogeant plus à fond vous découvrez qu'il ne se souvient absolument pas de vous avoir rencontré, ni d'avoir bavardé avec vous, qu'il ne se souvient pas des questions que vous lui avez posées, ni des problèmes qu'il a résolus. Il ne demande qu'à refaire les tests, et les réussit d'ailleurs tout aussi bien que quelques minutes auparavant. En fait, H. M. ne peut pas se souvenir de sa propre expérience.

L'intervention cérébrale de H. M. a eu pour conséquence de lui faire perdre toute aptitude à apprendre de nouvelles choses et en particulier à se souvenir de ses propres expériences. Sa perte de mémoire remonte à peu près à la période de l'intervention, mais en fait elle semble remonter à quelques mois auparavant. Sa mémoire ancienne, ses expériences vécues avant l'intervention, sont intactes et normales. La perte importante et tragique de la mémoire de H. M. fut découverte par la neuropsychologue Brenda Milner quelques semaines après son intervention.

Curieusement, d'autres aspects de la mémoire de H. M. n'ont pas été altérés. Il a une mémoire à court terme normale. Il peut, pour une courte période, se souvenir aussi bien que vous d'un numéro de téléphone. Cependant, si on vous demande de mémoriser le numéro vous y parviendrez en le répétant plusieurs fois de suite et peut-être en utilisant un moyen mnémotechnique ; H. M. ne le peut pas. Il arrive très bien à trouver des artifices pour se rappeler certaines choses. Mais cela n'est efficace que s'il ne cesse de se les répéter. Dès qu'il est distrait, il oublie tout : et le numéro et l'artifice mnémotechnique. Il ne pourra jamais les fixer dans sa mémoire à long terme.

H. M. a également une mémoire normale en ce qui concerne les activités motrices et gestuelles. Il peut se former à de nouvelles activités motrices complexes, comme par exemple jouer au tennis. Mais imaginez que vous soyez le professeur de tennis de H. M. : il lui faudrait réapprendre systématiquement chaque leçon. Supposez que vous lui ayez appris à servir alors qu'il ne connaissait rien au tennis avant son intervention, ni les termes utilisés ni la technique. A chaque leçon il vous faudra tout lui réapprendre, sauf les mouvements eux-mêmes. Il apprendra, en effet, la technique ; son service ira en s'améliorant avec la pratique et il ne perdra pas de son efficacité. Mais il ne pourra tout simplement pas se souvenir du terme « service », ni de ce que vous lui aurez dit à ce sujet. De son point de vue, enfin, vous lui apparaîtrez à chaque leçon comme un étranger dans un environnement inconnu.

Il est difficile d'imaginer ce que ce serait de vivre éternellement

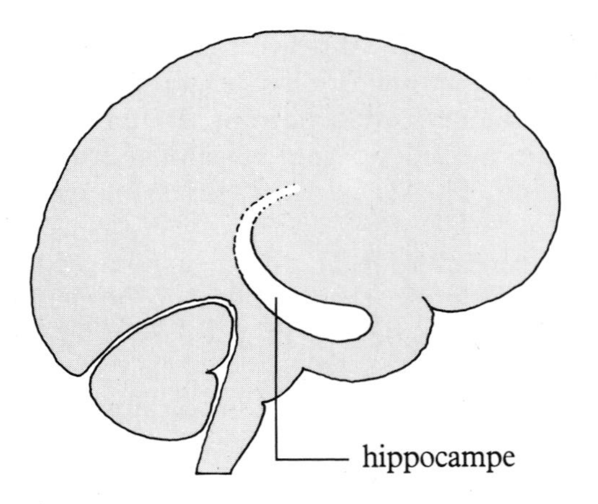

dans le présent. H. M. a d'ailleurs exprimé ce sentiment au cours d'un entretien : « En ce moment, dit-il, je me pose des questions. Ai-je fait ou dit quelque chose mal à propos ? Voyez-vous, actuellement tout me paraît clair, mais que s'est-il passé juste avant ? C'est ce qui m'inquiète. C'est comme lorsqu'on se réveille d'un rêve. Je ne me souviens plus de ce qui s'est passé. »

L'intervention qu'a subi H. M. a retiré une partie du cerveau que l'on appelle l'hippocampe (du latin « cheval de mer » : l'hippocampe humain épouse en effet la forme approximative de cet animal). Comme pour la plupart des structures cérébrales, il existe un hippocampe de chaque côté, un dans chaque lobe temporal. L'ablation de l'un ou l'autre des hippocampes ne semble pas avoir de conséquence évidente sur la mémoire. Cependant, dans le cas de H. M. les deux hippocampes ont été retirés.

L'hippocampe est une partie du système limbique, cette partie ancienne du cerveau qui formait chez les vertébrés primitifs, comme le crocodile, l'encéphale supérieur. Chez les mammifères, le cortex cérébral s'est considérablement développé et est venu entourer l'hippocampe pour finalement le dominer, tout au moins par la taille. Chez le rat, l'hippocampe est à peu près aussi volumineux que le cortex lui-même ; mais chez le singe et l'être humain c'est le cortex qui est de beaucoup le plus volumineux. Néanmoins, l'hippocampe joue un rôle fondamental dans l'apprentissage et dans la mémoire, chez tous les mammifères y compris chez l'homme ainsi que nous venons de le voir avec l'histoire de H. M.

Vous vous rappelez certainement que la mémoire de H. M. pour les faits antérieurs à son intervention était restée intacte. L'ablation de son hippocampe n'a pas aboli les souvenirs anciens ; en revanche elle a rendu impossible le stockage de faits récents. L'hippocampe n'est pas le lieu de stockage définitif de la mémoire expérientielle, mais il joue un rôle clé dans le stockage de la mémoire immédiate. Nous pensons que la mémoire expérientielle est stockée dans certaines régions du cortex cérébral.

Les études que mène actuellement Mortimer Mishkin (un chercheur de l'Institut National de Santé Mentale de Bethesda, Maryland, États-Unis) font augurer d'une prochaine et meilleure compréhension du phénomène de mémorisation. Mishkin utilise des singes entraînés à des exercices de mémoire visuelle. Le système visuel du singe est globalement identique à celui de l'homme, avec cette différence que la mémoire visuelle des humains a très probablement une capacité supérieure à celle des singes.

Les singes sont entraînés à des exercices simples de mémorisation et de reconnaissance visuelle immédiate. Un plateau est, tout d'abord, présenté avec un petit cube ou un jouet qui recouvre une cupule contenant une cacahuète. Le singe déplace l'objet et prend la cacahuète. Le plateau est alors emporté hors de la vue du singe ; puis un autre plateau est présenté sur lequel se trouve l'objet précédent ainsi qu'un deuxième objet, tous deux recouvrant une cupule. Mais seul le nouvel objet cache une cacahuète. Le singe doit se rappeler et reconnaître l'objet *ancien* et choisir le *nouvel* objet pour prendre la cacahuète. Au cours de l'exercice suivant, des objets tout à fait différents sont utilisés. Le singe doit apprendre à toujours choisir l'objet nouveau et, bien sûr, à se souvenir de l'ancien. Il apprend cela très rapidement ; de fait il s'agit d'un exercice auquel un singe, naturellement curieux, est prédisposé.

Nous avons vu au chapitre 2 comment les lignes, les formes et les objets sont codés au niveau du cortex visuel. Certains neurones réagissent à des données simples, d'autres à des données complexes, comme la forme d'un objet ou sa couleur, ce qui est en particulier le cas au niveau des aires visuelles secondaires. Ces aires renvoient les informations concernant l'objet en question vers les neurones de l'aire visuelle TE, l'aire du lobe temporal où a été découverte la cellule de la « main de singe ».

Mishkin a montré que, lorsque les deux aires TE sont retirées, le singe perd son aptitude à réaliser des exercices de reconnaissance visuelle, à reconnaître un objet qu'il a déjà vu. Il se souvient encore

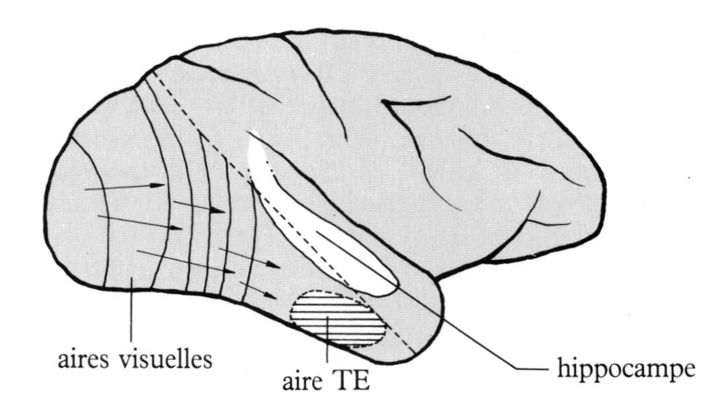

Trajet de l'information dans le cerveau du singe

du principe du choix — choix de l'objet nouveau —, mais ne peut pas se rappeler quel est l'objet ancien. Ces mêmes singes peuvent encore faire la différence entre plusieurs objets, on peut encore leur apprendre à choisir un objet plutôt qu'un autre : leur perception des objets est toujours normale. Ce qui est perdu c'est l'aptitude à se souvenir, même brièvement, de ce qui a déjà été vu.

La destruction bilatérale de portions du système limbique comprenant l'hippocampe diminue la capacité du singe à se souvenir des objets qu'il a vus. Ceci nous ramène au problème de H. M. Mishkin pense qu'il existe un circuit qui va du cortex visuel primaire à l'aire visuelle TE puis à l'hippocampe, et retour. Il est probable que, chez le singe comme chez l'homme, l'hippocampe ainsi que d'autres régions du système limbique jouent un rôle important dans le stockage de la mémoire visuelle au niveau du cortex de l'aire TE.

L'organisation de la mémoire dans le cerveau reste quasiment inconnue ; c'est un des mystères non résolus auxquels la recherche apporte parfois quelques hypothèses, toujours déçues. La mémoire a certainement une base structurelle permanente dans le cerveau. Il y a quelques années, Karl Lashley, un pionnier dans cet axe de recherche, a adopté le terme engramme, du grec « trace », pour désigner la trace structurelle de la mémoire dans le cerveau.

Comment les neurones peuvent-ils stocker les souvenirs ? Certains souvenirs restent permanents, de sorte que la mémorisation doit certainement induire des modifications permanentes dans les neurones. Nous ne connaissons pas encore la nature de ces processus de stockage, mais nous savons qu'ils font intervenir des processus chimiques. Si le stockage nécessite un changement de structures au niveau des synapses, cela implique la fabrication de nouvelles protéines. De fait, les substances qui inhibent la synthèse protéique dans le cerveau bloquent également les processus de mémorisation chez les animaux. Cependant, ces substances ont également des effets secondaires dangereux car la synthèse des protéines est nécessaire à de nombreuses fonctions de l'organisme.

Le cas de H. M. est une exception. L'amnésie la plus habituelle est l'amnésie des souvenirs anciens, comme on le voit chez les personnes qui ont eu un traumatisme crânien et qui ne se souviennent plus de leur vie passée. C'est un phénomène réel et qui peut être très grave. Certains traitements de la dépression utilisent des électrochocs : en faisant passer un courant électrique dans le cerveau on provoque des crises d'épilepsie. Ainsi que l'a montré Larry Squire (Université de Californie à San Diego), les électrochocs entraînent une amnésie temporaire, dont le patient récupère en principe complètement, sauf pour ce qui concerne les événements précédant immédiatement l'électrochoc.

Karl Duncan a montré, en 1949, que le même type d'amnésie temporaire peut être provoqué chez le rat, également avec des électrochocs. James McGaugh (Université de Californie à Irvine) a étudié ces phénomènes pendant des années. L'animal est entraîné à une tâche simple : par exemple, il est placé sur une plate-forme et chaque fois qu'il pose une patte en dehors de celle-ci, sur un grillage, il reçoit une décharge électrique. Après une telle expérience, le rat ne cherche plus à sortir de la plate-forme : il a appris en une seule fois quel désagrément entraînait le fait de poser la patte hors de la plate-forme et il s'en souvient pendant plusieurs jours.

Un traitement par électrochocs (ETC) est ensuite appliqué à différents animaux, à des intervalles de temps variables après leur première expérience sur la plate-forme. Si l'ETC est appliqué immédiatement après l'apprentissage, l'animal perd complètement le souvenir de cette expérience : lorsqu'on le replace sur la plate-forme il remet aussitôt la patte en dehors de celle-ci. Cependant, si une heure s'écoule entre l'expérience et l'ETC, l'animal conserve une parfaite mémoire de l'expérience et ne ressortira pas de la plate-forme.

A l'évidence, il y a une grande différence entre mémoire ancienne (à long terme) et mémoire immédiate (à court terme). Cela a conduit McGaugh, ainsi que d'autres auteurs, à développer la notion de consolidation de la mémoire. Les souvenirs récents sont plutôt fragiles et facilement effacés, alors que les souvenirs des faits anciens sont beaucoup plus résistants, et ne disparaissent qu'en cas de lésions cérébrales. Tout se passe comme si les souvenirs récents avaient besoin d'un délai pour être fixés dans la mémoire. Peut-être ce délai correspond-il au temps nécessaire à la synthèse des protéines qui permettent le stockage des souvenirs dans la mémoire définitive.

Il y a quelques années on a fait l'hypothèse que les souvenirs eux-mêmes étaient codés dans des molécules protéiques complexes, les molécules de la mémoire. Cela amena certaines personnes à émettre l'hypothèse que la mémoire pouvait être transférée d'un sujet à l'autre : les molécules protéiques de la mémoire auraient pu être extraites d'un cerveau « donneur » et injectées à un cerveau « receveur ». Dans un téléfilm américain, une espionne scientifique se faisait injecter un extrait du cerveau d'un collègue assassiné et revivait ainsi les souvenirs de celui-ci afin de résoudre l'énigme.

Des travaux quelque peu fantaisistes ont été réalisés sur un ver plat très primitif, le planaire, suggérant que les souvenirs pouvaient être transférés d'un animal à l'autre. Des planaires « non entraînés » étaient amenés à se nourrir de planaires « entraînés » (ces petites créatures ont une fâcheuse propension au cannibalisme), et il était dit qu'ils acquéraient ainsi une « mémoire ». Il y a même eu une expérimentation simplette du même genre avec des rats. Des rats choisis comme donneurs furent entraînés à réaliser un exercice simple d'approche d'un aliment. Ils furent sacrifiés, leurs cerveaux broyés et injectés à des rats non entraînés. Dans le rapport de cette étude il était dit que les rats non entraînés se souvenaient de l'exercice réalisé par les rats entraînés. En fait, cette expérimentation n'a jamais pu être répétée, pas même par la personne qui l'aurait réalisée la première fois. Il en fut de même pour l'expérimentation sur les planaires. Bref, il n'y a aucune preuve d'un possible transfert de souvenirs d'un cerveau à un autre. Les souvenirs ne sont certainement pas stockés sous forme de molécules.

Vous serez peut-être surpris d'apprendre que tous les humains ont une mémoire photographique pratiquement parfaite. Malheureusement, la mémoire visuelle ne persiste guère plus d'un dixième de seconde. Si une scène visuelle, ou une suite de lettres ou de chiffres, est projetée un court instant devant vos yeux, une grande partie de l'information sera retenue de façon précise, mais pendant une fraction de seconde seulement. En fait la majeure partie sera vite oubliée.

Cette mémoire photographique de très courte durée est appelée iconique, du mot grec signifiant « image ».

Il est intéressant de savoir que la plupart des jeunes enfants ont une mémoire iconique ou photographique qui perdure. Cependant, elle disparaît lorsqu'ils commencent à apprendre à lire et à écrire. Des anthropologues rapportent que la mémoire iconique persistante chez les adultes se rencontre dans certaines sociétés primitives analphabètes. L'apprentissage de la lecture interfère donc, d'une façon ou d'une autre, avec la mémoire photographique.

Lorsque vous voyez un nouveau numéro de téléphone, vous vous le rappelez le temps de le composer. Si vous ne vous le répétez pas, il sera oublié en quelques secondes. C'est ce qu'on appelle la mémoire à court terme ou mémoire immédiate ; en gros, c'est ce dont vous êtes conscient à un moment précis. La capacité de stockage d'informations nouvelles est étonnamment limitée : guère plus de sept informations peuvent être fixées dans la mémoire immédiate. Ainsi, lorsque vous devez vous rappeler un code postal ou un numéro de téléphone inhabituel, votre mémoire immédiate est à la limite de ses possibilités. La conscience immédiate, bien sûr, inclut autre chose que de nouvelles données : elle associe également l'expérience sensorielle issue du monde extérieur, les idées et les pensées ainsi que les données de la mémoire ancienne. Ce qui est limité c'est la capacité de fixer de nouvelles informations.

Si vous composez souvent un certain numéro de téléphone, vous finirez par vous en souvenir plus ou moins en permanence. Le nombre de données ou de fragments d'information stockés dans le cerveau d'un adulte est très élevé, de l'ordre de plusieurs millions. Prenons l'exemple du vocabulaire : chaque mot contient plusieurs éléments d'information. Plus encore, considérez tous les visages que vous avez croisés dans votre vie ; si vous les revoyiez, vous en reconnaîtriez un grand nombre. L'aptitude de la mémoire visuelle à se souvenir et à reconnaître les visages semble spécifique aux êtres humains et peut-être aux autres primates ; les primates sont en effet des animaux dont les fonctions visuelles sont adaptées à la vie en groupes sociaux.

Il semblerait qu'au moins certaines informations visuelles, comme les visages et les scènes de la vie, passent directement dans la mémoire permanente. Pour juger de cette possibilité on a projeté à une classe d'élèves deux mille diapositives, l'une après l'autre, en accordant deux secondes à chaque diapositive. Celles-ci représentaient des personnes et des scènes de la vie courante. Le lendemain, on projeta à nouveau à ces mêmes élèves toutes les diapositives, mais cette fois chaque photographie projetée la veille était couplée avec une nouvelle photographie. Pour chaque paire de diapositives, les élèves devaient indiquer quelle était celle qui avait déjà été visionnée la veille. Les résultats furent étonnamment bons : 90 % des réponses étaient correctes.

On pense donc maintenant que les systèmes cérébraux qui emmagasinent ces différents aspects de la mémoire pourraient être eux-mêmes différents. Des travaux récents et encore très peu avancés, réalisés par des neurochirurgiens, suggèrent que la mémoire à court terme pourrait être engrangée dans une petite région du cortex cérébral de l'hémisphère gauche. Chez une série de patients, le cerveau a été exposé alors que le malade était sous anesthésie locale et pouvait donc communiquer avec les chirurgiens. De petites électrodes ont été utilisées pour stimuler électriquement diverses régions du cortex afin d'y déceler la présence de tissu cérébral pathologique (but de l'intervention). La stimulation électrique rendait temporairement inactif le tissu cortical situé sous l'électrode. C'est ainsi que fut mise en évidence une zone, petite et bien délimitée, où la stimulation bloquait momentanément la mémoire immédiate de ces patients.

La compréhension du langage — le souvenir permanent de la signification des mots — est située dans une région cérébrale de l'hémisphère gauche. Des études récentes chez des malades neurochirurgicaux bilingues suggèrent que la mémorisation des mots des deux langues pourrait être localisée dans des zones différentes de l'hémisphère gauche.

Au cours d'études neurochirurgicales réalisées par Wilder Penfield à l'Institut Neurologique de Montréal pendant plusieurs années, il est apparu que la stimulation électrique de certaines régions du cortex temporal faisait resurgir des souvenirs particuliers. Un patient redevenait brutalement un enfant, revivant de façon aiguë un souvenir de sa petite enfance. Bien que ce résultat soit important, les malades étudiés étaient porteurs d'anomalies cérébrales graves responsables d'épilepsie sévère ; on ne peut donc être certain de pouvoir faire resurgir de tels souvenirs en stimulant de la même façon des sujets normaux.

Toutes ces études neurochirurgicales suggèrent en tout cas que certains aspects de la mémoire permanente (à long terme) pourraient

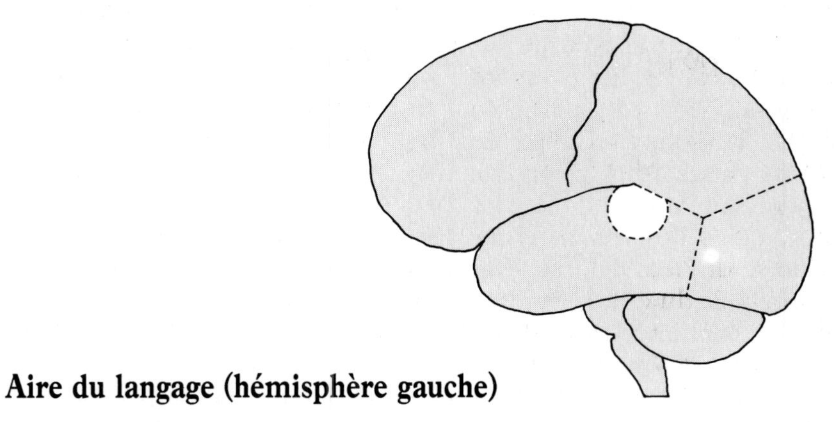
Aire du langage (hémisphère gauche)

être stockés dans des régions spécifiques du cerveau. Mais on en sait encore très peu.

Quelques chercheurs pensent, au contraire, que certains types de souvenirs ne sont pas stockés dans des zones particulières du cerveau, mais qu'ils sont en quelque sorte répartis largement dans tout le cerveau, plus particulièrement dans le cortex cérébral. Karl Pribram, à l'Université de Stanford, se sert pour expliquer son point de vue de l'analogie de l'hologramme (une image en trois dimensions obtenue avec des rayons laser). Si une partie de l'écran qui contient l'hologramme est coupée, la partie correspondante de l'image ne disparaît pas comme cela serait le cas avec une photographie ordinaire. Au contraire, toute l'image de l'hologramme persiste sur ce qui reste de l'écran, mais elle est plus floue. Plus on coupe l'écran, plus l'image devient floue, mais celle-ci reste toujours entière. Ceci n'est bien sûr qu'une analogie — il n'y a aucune preuve que le cerveau contienne des hologrammes.

Un problème particulièrement important chez les êtres humains est l'effet du vieillissement sur la mémoire. Le processus du vieillissement en général est encore mal compris. L'espérance moyenne de vie dans les pays industrialisés comme les États-Unis ou la France n'a fait que croître et dépasse aujourd'hui largement 70 ans. Cependant, la durée de vie maximale n'a pas augmenté et reste aux alentours de cent ans. A ce propos, les humains ont la durée de vie la plus longue de tous les mammifères.

Le fait que la durée de vie n'ait pas augmenté suggère qu'il existe peut-être des facteurs de vieillissement préréglés. On a très longtemps pensé que le problème du vieillissement résidait dans les organes eux-mêmes : que le cœur, les reins et d'autres organes, tout simplement, s'épuisaient. Nous savons maintenant que cela n'est pas toute la réponse. Leonard Hayflick, au Centre Médical Hospitalier pour Enfants d'Oakland (Californie), a cultivé des cellules de sujets normaux prises à des personnes d'âges différents. Les cellules d'un embryon humain se divisent à peu près cinquante fois avant de mourir. Or, celles venant d'une personne d'une cinquantaine d'années ne se divisent qu'une vingtaine de fois avant de mourir.

Ce contrôle du vieillissement cellulaire pourrait être théoriquement sous la dépendance de l'ADN nucléaire, ou de facteurs intracellulaires extra-nucléaires. Hayflick échangea des noyaux de cellules venant d'un embryon humain et des noyaux venant d'un adulte, et constata que le contrôle primaire est situé dans le noyau. Que les cellules proprement dites soient issues de l'embryon ou de l'adulte, si le noyau venait de l'adulte les cellules ne se divisaient que vingt fois ; si le noyau venait de l'embryon elles se divisaient une cinquantaine de fois.

La détérioration mentale liée au vieillissement physiologique a été très exagérée, en partie à cause d'une confusion entre le vieillissement normal et les graves conséquences cliniques de la démence sénile appelée maladie d'Alzheimer. Donald Hebb est un des principaux spécialistes des mécanismes cérébraux d'apprentissage. A l'âge de 74 ans, il publia un texte tout à fait extraordinaire : *On Watching Myself Act Old (En me regardant vieillir)* ; c'est un exposé autobiographique sur son propre vieillissement.

Hebb remarqua les premiers signes de vieillissement à l'âge de 47 ans. Il était en train de lire un article scientifique et tout en lisant il se dit : « Il faut que je prenne des notes sur cet article. » Comme il tournait la dernière page, il vit des notes déjà écrites de sa propre main. Cela lui fit un effet terrible. Il ne se souvenait pas du tout d'avoir déjà lu cet article. A ce stade de sa carrière Hebb faisait beaucoup de recherche, d'enseignement et de publications. Il dirigeait un nouveau laboratoire et était professeur dans le département de psychologie de l'Université McGill, à Montréal. Il ralentit alors ses activités et arrêta de travailler le soir. Sa mémoire revint à son niveau antérieur d'efficacité normale. C'est un point important et souvent négligé : de nombreuses personnes, autour de la cinquantaine, accumulent de plus en plus de travail et de responsabilités ; elles deviennent littéralement surchargées. Ce n'est donc pas que leur système mnésique fait défaut, mais tout simplement que, bien que d'une grande capacité, la mémoire humaine n'est cependant pas sans limite.

Vers l'âge de 74 ans, Hebb remarqua d'autres changements. Sa démarche et son équilibre devinrent un peu moins stables, sa vue moins bonne et ses trous de mémoire un peu plus fréquents. Il nota également que son vocabulaire déclinait et que ses schémas de pensée tendaient à se répéter, ce qu'il définit en ces termes : « une perte lente et inévitable de la capacité cognitive ». Cependant, ces troubles n'étaient pas évidents aux yeux d'autrui. C'est ce que remarqua un éditeur du journal dans lequel fut publié l'article de Hebb : « Si les facultés du Dr. Hebb continuent à se détériorer de la façon qu'il suggère, d'ici à la fin de la prochaine décade il risque de ne plus être que deux fois plus lucide et éloquent que nous autres. »

Les études sur la mémoire des personnes âgées non séniles montrent que la perte de capacité mnésique n'est pas importante. La mémoire iconique (photographique) n'est pas modifiée ; mais la capacité à concentrer son attention sur deux ou plusieurs activités devient plus limitée, comme de pouvoir dans un cocktail suivre plusieurs conversations à la fois. Il n'y a pas de conséquence évidente du vieillissement physiologique sur la mémoire à court terme ; en revanche la mémoire à long terme, c'est-à-dire la possibilité de stocker en permanence de nouvelles informations, montre des signes de déclin, mais pas avant la soixantaine.

Dix à 15 % des personnes âgées de plus de 65 ans souffrent de symptômes plus ou moins importants de sénilité ou de démence sénile, ce qui est un pourcentage bien trop élevé. La maladie d'Alzheimer a été traditionnellement définie comme une sénilité sévère apparaissant précocement, avant l'âge de 65 ans. Cependant, les symptômes sont les mêmes chez les sujets plus jeunes que chez les plus âgés, et la sénilité qui apparaît après 65 ans est aussi cataloguée maladie d'Alzheimer. Plus de 50 % des personnes qui ont des signes de sénilité relèvent du type Alzheimer, soit à peu près deux millions aux États-Unis.

La symptomatologie de la maladie d'Alzheimer associe des troubles de la pensée, de la reconnaissance, de la mémoire, du langage et des capacités de perception. Chez certains patients, l'installation des troubles est lente et progressive, mais chez d'autres elle peut être rapide. Le premier symptôme, et le plus évident, est la perte de la mémoire à long terme.

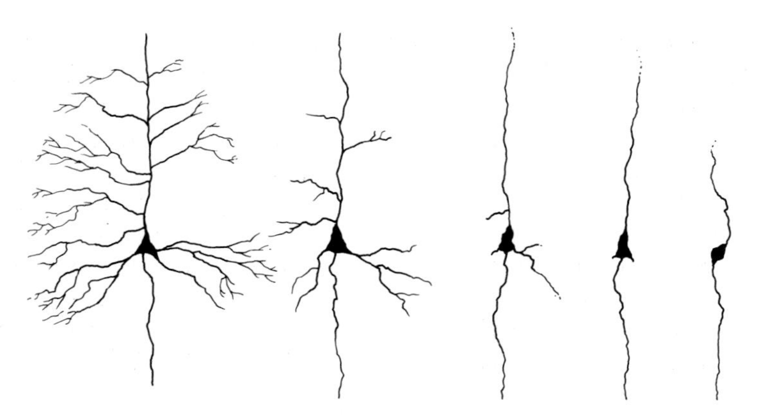

Altérations dendritiques dans la maladie d'Alzheimer

Les anomalies du cerveau liées à la maladie d'Alzheimer sont connues depuis longtemps : plaques séniles (groupes de cellules anormales entourant des amas de protéines), enchevêtrement de fibres dans les neurones, altération dendritique, diminution du nombre de neurones. Ces changements sont particulièrement importants dans l'hippocampe et dans les régions du cortex les plus concernées par les processus cognitifs et de mémorisation.

De nouvelles données passionnantes sont en train de prendre forme ; elles pourraient conduire à un véritable progrès dans la compréhension et le traitement de la maladie d'Alzheimer. Elles concernent un neurotransmetteur chimique appelé l'acétylcholine (ACh). L'ACh est le neurotransmetteur de la jonction neuro-musculaire (entre les neurones moteurs et les fibres musculaires). L'influx nerveux entraîne la libération d'ACh par la terminaison des motoneurones. L'ACh active les fibres musculaires, entraînant la contraction musculaire. Elle est alors détruite par une enzyme, l'acétycholine-estérase (AChE), qui libère les deux molécules de base : l'acétyl et la choline. Une forme d'acétyl est présente dans toutes les cellules et la choline existe dans de nombreuses substances alimentaires.

Il existe un système cérébral qui utilise l'acétylcholine comme neurotransmetteur : située à côté de l'hypothalamus, près de la base du crâne, cette structure est appelée le noyau basal et contient des neurones à acétylcholine qui se projettent vers le cortex cérébral et l'hippocampe (les neurones qui libèrent l'acétylcholine sont dits neurones cholinergiques). Il y a quelques années, des études sur l'animal ont montré que des substances qui augmentent le taux d'acétylcholine dans le cerveau semblent améliorer les performances mnésiques.

Les progrès récents dans la compréhension de la maladie d'Alzheimer viennent des travaux de Joseph T. Coyle et de ses collaborateurs, à la faculté de médecine de l'Université Johns Hopkins. En examinant le cerveau de nombreux malades morts de la maladie d'Alzheimer, ils constatèrent que dans tous les cas il y avait disparition massive des cellules du noyau basal. D'autre part, les taux des substances cholinergiques sont très bas dans le cortex cérébral et dans l'hippocampe des patients atteints de maladie d'Alzheimer.

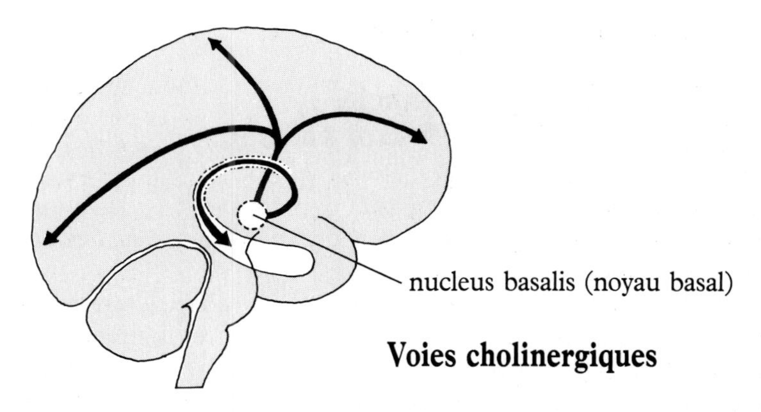

Voies cholinergiques

On ne sait pas encore si la perte de neurones cholinergiques est la seule cause, ou même la cause principale, de la maladie d'Alzheimer, ni même s'il existe des relations de cause à effet entre des facteurs comme les plaques séniles, la disparition de neurones dans le cortex et l'hippocampe, et la diminution du nombre de neurones cholinergiques dans le noyau basal. Cependant, maintenant qu'une relation évidente entre cette maladie et la disparition de neurones cholinergiques a été établie, ces questions deviennent plus simples à cerner.

Les substances cholinergiques peuvent améliorer les performances mnésiques chez l'animal et semblent agir de même chez les jeunes adultes humains. Cependant, la plupart de ces substances ont des effets secondaires plutôt sérieux (de fait ce sont parfois des poisons comme le malathion, insecticide très répandu). Maintenant que l'on sait que la maladie d'Alzheimer s'accompagne d'une perte de cellules cholinergiques, les substances cholinergiques sont susceptibles de devenir des outils thérapeutiques importants ; quelques succès ont été rapportés mais uniquement chez des patients peu séniles (un traitement sans danger consiste à manger des substances contenant de la choline comme la lécithine ou les jaunes d'œufs). Une amélioration des performances mnésiques des souris âgées a été rapportée après qu'elles eurent été nourries avec de la choline. Mais cela n'a pas été couronné de succès chez les humains, en tout cas en ce qui concerne la maladie d'Alzheimer. Des publications récentes indiquent que l'association de lécithine dans l'alimentation et de prostigmine (une substance qui inhibe l'acétylcholine-estérase et entraîne donc une augmentation des taux cérébraux d'acétylcholine) pourrait être utile chez les patients débutant une maladie d'Alzheimer.

A la recherche de la mémoire : Extrait du carnet de Richard Thompson.

Les mécanismes cérébraux qui codent et stockent les souvenirs sont l'un des principaux sujets de recherche d'un des auteurs de ce livre, Richard Thompson.

Le problème fondamental a été de localiser dans le cerveau les engrammes, ou traces mnésiques. Les bases cellulaires de la mémoire, c'est-à-dire la façon dont les neurones codent et stockent les souvenirs, ne peuvent pas être analysées tant que les zones cérébrales et les neurones responsables de la mémoire ne sont pas localisés. Nous avons eu la chance, récemment, de découvrir une très petite région du cerveau dans laquelle sont stockés certains types de souvenirs.

Nous avons commencé notre recherche sur les engrammes il y a plusieurs années, suivant en cela la voie ouverte par des chercheurs comme Ivan Pavlov et Karl Lashley. La stratégie suivie a été d'étudier une forme d'apprentissage très simple tant pour les humains que pour les animaux, en particulier les mammifères ; l'architecture cérébrale de base est en effet identique chez le rat ou le lapin et chez l'homme, bien que plus petite et plus simple chez les premiers. Nous avons choisi les battements de paupières : réaction simple qui était provoquée par un son bref, suivi d'un souffle d'air dans l'œil. Après un certain nombre de ces doubles stimulations (son et souffle), la paupière a acquis une réponse de fermeture au son avant que le souffle d'air ne survienne. Ceci est une simple réponse d'adaptation réactionnelle acquise pour protéger l'œil. Les lapins et les humains apprennent cette réponse de clignement des paupières aussi bien les uns que les autres. Les lapins sont dociles et coopératifs et sont de bons sujets pour les études sur le cerveau.

La mémorisation d'une telle réponse simple n'est probablement pas stockée dans les centres supérieurs du cerveau comme le cortex ou l'hippocampe. Et de fait, le lapin peut apprendre à peu près normalement cette réponse de clignement au bruit, même si ces structures lui ont été retirées. Cela laisse encore une grande quantité de tissu cérébral dans lequel pourrait se stocker la mémoire. Nous pouvons encore éliminer d'autres hypothèses, comme par exemple les moto-neurones qui contrôlent le clignement de la paupière et les noyaux auditifs du tronc cérébral qui relaient le son vers le cortex.

Deviner l'endroit où se stocke la mémorisation de cette réponse de clignement des paupières étant impossible, nous avons entrepris une étude systématique pour repérer l'activité des neurones dans toutes les régions du cerveau susceptibles de stocker la mémoire. Pour y arriver, nous avons enregistré les décharges d'influx des neurones avec un système de micro-électrodes enfoncées dans le cerveau. Ce système est fixé au crâne du lapin sous anesthésie générale. Après cette petite intervention, l'animal est soumis à l'entraînement pendant que les micro-électrodes enregistrent l'activité neuronale. Le cerveau lui-même n'est pas sensible, de sorte que l'animal ne ressent aucune douleur due à la présence des électrodes.

L'établissement de cette véritable cartographie cérébrale a été long et laborieux mais finalement payant. Nous avons trouvé une petite région dans le cervelet, au niveau de laquelle les décharges des neurones augmentaient considérablement tout au long de la période d'apprentissage. Le cervelet est une volumineuse structure de l'encéphale située sous les hémisphères cérébraux ; il a un rôle important dans la régulation des mouvements ; les chercheurs avaient suggéré qu'il pouvait être également le siège d'un certain type de mémorisation des mouvements acquis. L'aspect de l'activité neuronale dans cette région du cervelet donnait une image type de la réponse acquise de clignement au son, mais non de clignement au courant d'air. Le fait d'isoler une région au niveau de laquelle siégeait une activité en rapport avec les réponses acquises était très encourageant, mais cela n'établissait pas pour autant cette petite zone comme étant le site de la mémoire. Une autre région importante aurait pu relayer l'activité neuronale vers cette zone du cervelet.

Nous avons ensuite pratiqué des lésions dans cette région, c'est-à-dire que nous y avons détruit de petites quantités de tissu nerveux. Après la lésion, les animaux ont complètement oublié ce qu'ils avaient appris. Cependant, le clignement des paupières au courant d'air (réflexe naturel et non acquis) persistait normalement, les animaux pouvant continuer à cligner des paupières sans problème. A l'opposé, ils avaient perdu la mémoire de la réponse apprise de clignement au son. Nous avons aussi découvert que cette région du cervelet est essentielle à la mémorisation d'une autre sorte d'apprentissage souvent utilisée en laboratoire : lever la patte pour éviter une décharge électrique. C'est donc là, semble-t-il, qu'est stocké tout un groupe de réponses acquises par l'apprentissage.

Le point précis qui doit être lésé pour effacer la mémorisation d'une réponse acquise (dans ce cas particulier, le clignement des paupières succédant à un bruit) est de très petite taille. Des lésions chimiques ne détruisant pas plus d'un millimètre cube de tissu nerveux suffisent à effacer la mémoire. D'autres ensembles d'arguments vont dans le même sens, soulignant le rôle important de cette petite zone du cervelet dans le stockage de la mémoire ; toutefois nous n'avons pas encore prouvé ce fait avec une certitude absolue. Cependant, ayant identifié un élément clé du circuit mnésique, il doit être dorénavant possible de reconnaître le circuit dans son ensemble — de l'oreille à la paupière ; c'est ce que nous sommes en train de réaliser. Ceci nous permettra d'établir avec certitude la localisation exacte de l'inscription mnésique. Nous serons alors en bonne position pour aborder la question la plus importante : comment les neurones codent-ils et stockent-ils les souvenirs dans le cerveau ?

Au niveau cellulaire, il y a deux types fondamentaux de codage ou de mise en mémoire de l'information. L'un d'eux est le code génétique. Chez les animaux supérieurs, des millions de fragments d'information sont codés dans l'ADN de la cellule, la mémoire génétique. Cette information est vaste et détermine non seulement si nous serons une souris ou un homme, mais aussi les myriades de caractéristiques qui font la spécificité de chaque individu.

Au cours de l'évolution, un autre type tout à fait différent de codage de l'information est apparu : le codage cellulaire de la mémoire. Ce code de la mémoire n'est pas moins extraordinaire que le code génétique. Ainsi que nous l'avons vu, un adulte normalement cultivé conserve des millions d'informations stockées dans son cerveau.

La différence fondamentale entre le code génétique et le code mnésique est bien sûr que les données mnésiques de chaque individu sont acquises par l'expérience et par l'apprentissage. Le caractère unique de chaque personne est dû en grande partie aux données emmagasinées dans sa mémoire, c'est-à-dire aux résidus biologiques des souvenirs de toute une vie. Un jour prochain, nous saurons quelle est la base génétique qui permet au cerveau de stocker la mémoire.

L'aptitude qu'a un tissu cellulaire à acquérir de nouvelles données est une propriété de la cellule qui n'a été mise en évidence que récemment. Cette propriété a une base génétique évidente ; elle dépend de l'organisation structurale et fonctionnelle, de l'architecture du cerveau, et des processus de stockage cellulaire. Il ne serait pas très surprenant que le matériel génétique lui-même joue un rôle dans les processus d'apprentissage. Après tout, l'activité des neurones au niveau des synapses agit sur l'intérieur des neurones et sur l'ADN lui-même.

6

LE CERVEAU DIVISÉ

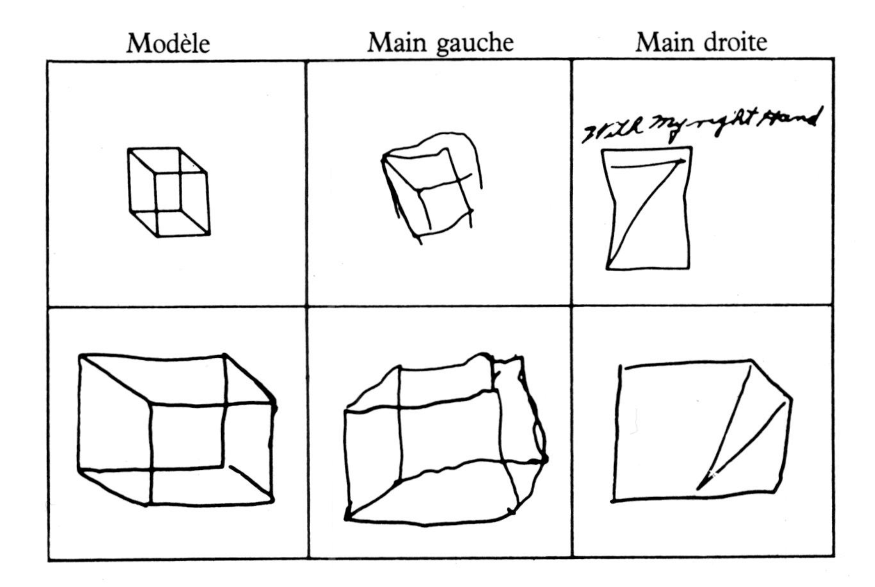

VOUS POUVEZ ALLER AVEC EUX vous promener, nager, dîner et même monter dans la voiture qu'ils conduisent sans rien remarquer. Vous vous demanderez sûrement en quoi consiste cette opération cérébrale. Ils ont l'air normaux : leurs mouvements sont parfaitement coordonnés, leur raisonnement n'est pas altéré, leur aptitude à danser, à marcher et même à chanter est intacte. L'un d'eux peut même jouer du piano mieux que le médecin qui l'interroge. Mais ces gens ont subi une intervention cérébrale majeure pour épilepsie, qui a consisté en une séparation des deux hémisphères cérébraux ; les résultats obtenus ont créé une révolution dans la compréhension de cette partie la plus évoluée de l'encéphale que sont les hémisphères.

Ce n'est que dans des circonstances très particulières que l'on peut mettre en évidence la différence de fonction qui existe entre les deux hémisphères cérébraux, et seulement si l'on fait un gros effort pour y arriver. Regardez les dessins qui ouvrent ce chapitre. Ils ont été tracés par l'une de ces personnes au cerveau « séparé », dont les deux hémisphères ont été déconnectés l'un de l'autre. Bien que la chirurgie ait laissé ces patients sans séquelle évidente, vous pouvez voir immédiatement la différence existant entre ces dessins : l'un est pratiquement indéchiffrable ; l'autre est une représentation simple d'un cube, mal dessiné mais reconnaissable. Comment cette intervention a été mise au point et ce qu'il en est advenu est une histoire qui remonte à près d'un siècle et demi ; c'est l'histoire d'une des plus longues recherches dans l'étude du cerveau.

Le début de cette histoire remonte à 1834 et 1835 : un médecin français, Marc Dax, cherchait à rattacher les troubles de la parole — l'aphasie — à des lésions du cerveau. En réétudiant ses dossiers, Dax remarqua que tous ses patients aphasiques avaient une lésion de la partie gauche du cerveau. Il entreprit alors une étude de la littérature sur le sujet, et interrogea ses collègues plus spécialisés sur leurs expériences en la matière : il n'était lui-même que médecin généraliste et ne connaissait pas bien les sciences neurologiques. Tous les cas d'aphasie étaient en rapport avec des lésions de l'hémisphère gauche, bien que certains patients aient eu également une lésion associée de l'hémisphère droit.

En 1836, Dax se rendit à la réunion d'une société médicale du sud de la France et présenta prudemment sa conclusion : d'après lui il y avait une relation étroite entre lésion de l'hémisphère gauche et perte de la parole. Son intervention ne fut pas remarquée et ses conclusions furent oubliées. Mais en fait, comme toute découverte scientifique importante, la sienne attendait d'être redécouverte.

Au XIXe siècle, l'idée était apparue que le cerveau n'était pas uniquement une masse de tissu amorphe comme le pensaient les anciens Grecs; mais, au contraire, qu'il était constitué de diverses aires cérébrales ayant des fonctions séparées. Cette idée se renforça peu à peu et aurait été complètement admise si les arguments utilisés n'avaient pas été faussés : en effet, les tenants des « localisations cérébrales » étaient aussi ceux de la « phrénologie ».

Les doctrines de la phrénologie contiennent l'idée que les reliefs

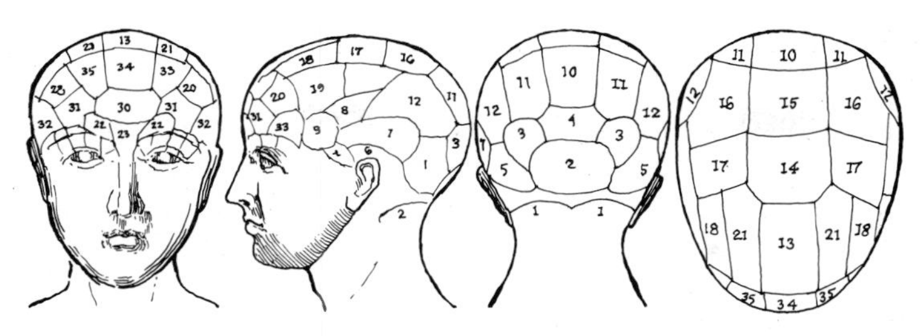

Illustration tirée d'une affiche annonçant des conférences de phrénologie (1829)

situés à la surface du crâne reflètent le volume du tissu cérébral sous-jacent, si bien que le contenu du cerveau d'une personne pourrait être « lu » sur la seule voûte crânienne. A chaque aire du cerveau furent ainsi attribuées une fonction donnée et une représentation sur la surface du crâne. Cette idée avait deux défauts graves : elle était d'application simple et elle était fausse. Ainsi, l'idée que les hémisphères cérébraux étaient différents fut noyée dans les critiques, justifiées, contre la phrénologie.

Le problème commença à être résolu par le neurologue français Pierre Paul Broca, quelque 25 ans après le prudent rapport de Dax. Intervenant dans la controverse en tant qu'opposant à la phrénologie,

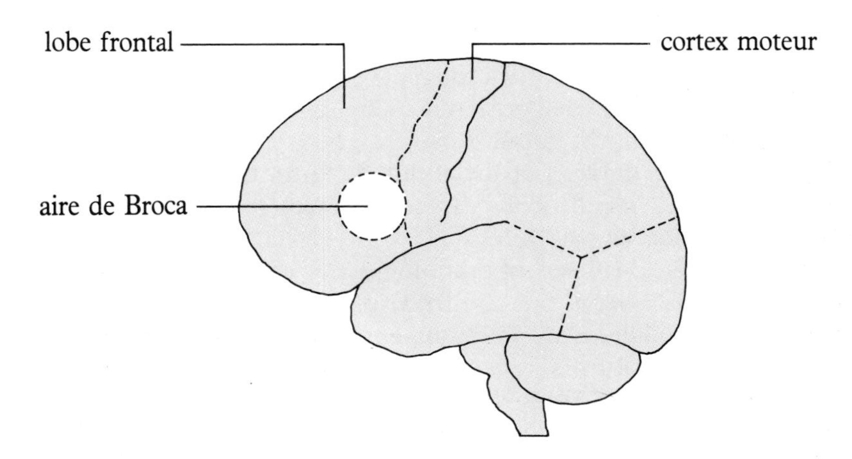

Aire de Broca (hémisphère gauche uniquement)

Broca fut tout simplement amené à examiner les cerveaux de personnes décédées qui avaient eu une perte de la parole. Il présenta huit observations bien étudiées et très détaillées de malades qui tous avaient eu une perte de langage et qui tous présentaient une lésion dans la même région du lobe frontal. Cette région est maintenant connue sous le nom d'aire de Broca : c'est une des parties du cerveau qui sont impliquées dans la parole. C'était la première preuve reconnue de l'asymétrie du cerveau, au grand chagrin d'ailleurs du fils de Marc Dax qui chercha à faire campagne pour rendre la primauté du travail à son père. Mais le terrain était conquis par les études minutieuses de Broca, et depuis plus d'un siècle les examens neurologiques de personnes dont le cerveau a été lésé par un traumatisme, une maladie ou une intervention chirurgicale n'ont fait qu'apporter confirmation de ce fait. Ainsi, c'est grâce à la neurologie clinique et à la neurochirurgie qu'ont pu être apportées les premières indications de notre spécialisation hémisphérique.

En 1864, après avoir lu Broca, le grand neurologue anglais J. Hughlings Jackson conclut que l'hémisphère gauche était le siège de la « faculté d'expression » ; il nota, par ailleurs, qu'une patiente porteuse d'une tumeur de l'hémisphère droit « ne reconnaissait plus les objets, les personnes ni les lieux ». Depuis l'époque de Jackson, de nombreux autres neurologues, neurochirurgiens et psychiatres ont confirmé que deux modes différents de pensée semblaient être latéralisés dans les deux hémisphères cérébraux des êtres humains.

Des milliers d'observations ont été étudiées, dans lesquelles une lésion de l'hémisphère gauche s'accompagnait d'un trouble, voire d'une disparition complète du langage. Une lésion de l'hémisphère droit n'entraîne pas de disparition du langage dans la plupart des cas (sauf chez un certain nombre de sujets gauchers). En revanche elle peut entraîner de graves perturbations de la représentation spatiale, de l'aptitude musicale, de la reconnaissance des personnes et de l'image corporelle de soi-même.

A l'aide d'études neuropsychologiques approfondies, Brenda Milner et ses collaborateurs de l'Institut Neurologique de Montréal ont essayé d'établir des corrélations entre les désordres de diverses activités et des lésions d'aires corticales spécifiques. Par exemple, l'ablation du lobe temporal droit altère gravement l'aptitude d'une personne à trouver son chemin pour sortir d'un labyrinthe, alors qu'une lésion de même volume dans le lobe temporal gauche ne modifie que peu cette aptitude. Ces chercheurs rapportent également qu'à des lésions de zones spécifiques du cerveau correspondent des troubles spécifiques du langage ; une altération de la mémoire verbale accompagne une lésion de la pointe du lobe temporal gauche ; une perte de l'expression orale semble être le résultat d'une atteinte de la partie postérieure du lobe temporal gauche. En se basant sur des données expérimentales plus modestes, le physiologiste russe A.R. Luria écrit que l'intelligence mathématique est également affaiblie par une lésion du côté gauche. Milner et ses collaborateurs ont trouvé que la zone de reconnaissance d'une note de musique se localisait dans une région de l'hémisphère droit. Enfin l'aptitude à reconnaître les visages est perdue en cas de lésion de la partie postérieure de l'hémisphère droit.

La recherche neuroclinique doit avoir pour but de trouver des liens entre signes cliniques et lésions cérébrales. Une des études les plus intéressantes est probablement celle qu'a menée Roger Sperry, de l'Institut de Technologie de Californie, avec ses collègues et plus particulièrement avec Joseph Bogen. Le travail de Sperry a d'ailleurs suffisamment attiré l'attention du Comité du Prix Nobel pour que ce prix lui soit décerné en 1981. Ainsi que nous l'avons vu, les deux hémisphères cérébraux communiquent entre eux : ils sont reliés anatomiquement par le corps calleux. Sperry et ses collaborateurs ont pendant des années sectionné le corps calleux d'animaux de laboratoire, ce qui permettait d'étudier séparément les deux hémisphères. Cette étude conduisit à l'adoption d'un traitement de l'épilepsie rebelle chez plusieurs patients des Docteurs Philip Vogel et Joseph Bogen de la Faculté de Médecine de Californie.

Il s'agit d'une intervention identique à ce que Sperry pratique sur les animaux : section des commissures unissant les deux hémisphères et permettant ainsi une séparation effective de ceux-ci. Cette opération est appelée chirurgie de « disconnexion cérébrale ». L'espoir des chercheurs résidait dans le fait qu'un patient ayant une épilepsie dans un hémisphère, l'extension de la crise au côté opposé serait ainsi limitée, voire rendue impossible, et que la maladie épileptique elle-même en serait diminuée. L'intervention fut efficace, et dans la plupart des cas les patients purent quitter l'hôpital.

Dans la vie de tous les jours, ces personnes au cerveau séparé, telles que nous les avons décrites au début de ce chapitre, ne présentent à peu près aucune anomalie évidente, ce qui ne laisse pas de surprendre compte tenu de l'importance de l'intervention. Cependant, Sperry et Bogen ont mis au point plusieurs tests fins et ingénieux qui montrent clairement que l'intervention a séparé les fonctions spécialisées de chacun des deux hémisphères.

Si, par exemple, le patient tient un crayon hors de sa vue dans la main droite il peut le décrire oralement. Mais si le crayon est dans la main gauche, il lui est impossible de le faire. Ce fait rappelle que la main gauche informe l'hémisphère droit, lequel ne possède qu'une aptitude limitée au langage oral. Avec le corps calleux sectionné, l'hémisphère du langage (c'est-à-dire le gauche le plus souvent) n'est plus relié à l'hémisphère droit qui communique avec la main gauche. Si, cependant, on présente au patient un lot d'objets — une clé, un livre, un crayon, etc. — et qu'on lui demande de sélectionner avec sa main gauche un objet qu'on lui avait remis précédemment, il peut faire le choix juste sans pouvoir pour autant commenter oralement ce qu'il fait. C'est un peu comme si on demandait secrètement à quelqu'un d'accomplir une action, et qu'une autre personne doive commenter l'action sans savoir de quoi il s'agit.

Normalement, lorsque l'on veut apprécier les connaissances de quelqu'un, c'est le langage qui permet de le faire, c'est-à-dire que nous ramenons la « connaissance » à ce qu'une personne peut exprimer. Ceci montre à quel point se limiter à cette seule donnée est une erreur. *Nous en savons plus que nous n'en pouvons exprimer.*

Une autre épreuve teste la spécialisation latérale des deux hémisphères en utilisant les données visuelles. La motié droite de chaque œil envoie ses messages à l'hémisphère droit, la moitié gauche à l'hémisphère gauche. Dans cette épreuve, le mot HEART (cœur) est projeté devant le patient de telle sorte que HE soit à gauche dans son champ visuel et ART à droite. Généralement une personne normale

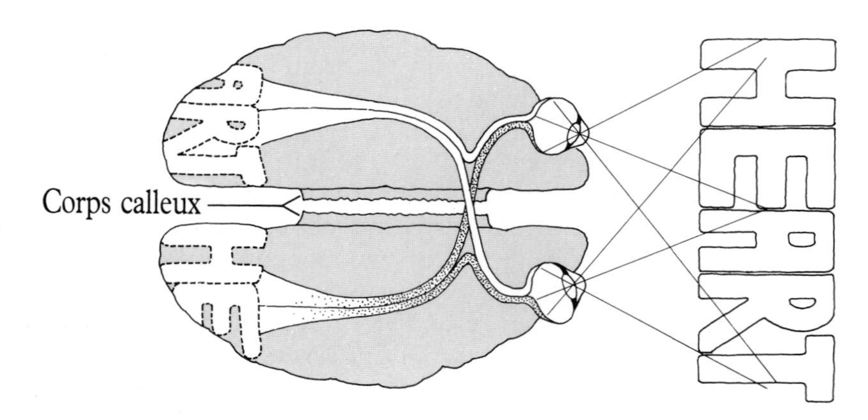

dit avoir vu le mot HEART. Mais les sujets au cerveau séparé répondent différemment selon l'hémisphère mis en jeu. Si l'on demande au patient de prononcer le mot qui vient d'être projeté, il répondra ART puisque c'est cette partie du mot qui se projette sur le cortex visuel gauche et que c'est l'hémisphère gauche qui répond. Cependant lorsque l'on montre au patient deux cartes — l'une avec le mot HE, l'autre avec le mot ART — et qu'on lui demande de montrer avec sa main gauche le mot qu'il voit il montre le HE. L'expérience simultanée de chaque hémisphère apparaît unique et indépendante : l'hémisphère du langage donne une réponse, l'hémisphère opposé en donne une autre.

Un des exemples les plus évidents de la grande habileté de l'hémisphère droit a été filmée par Roger Sperry et un de ses collègues. Le patient au cerveau séparé reçoit un lot de cubes rayés blanc et rouge. Il doit les assembler pour réaliser des modèles de schémas qui lui sont présentés. Le sujet commence correctement avec sa main gauche à réunir les cubes pour réaliser des dessins de plus en plus compliqués. Puis on lui demande de faire la même chose avec la main droite.

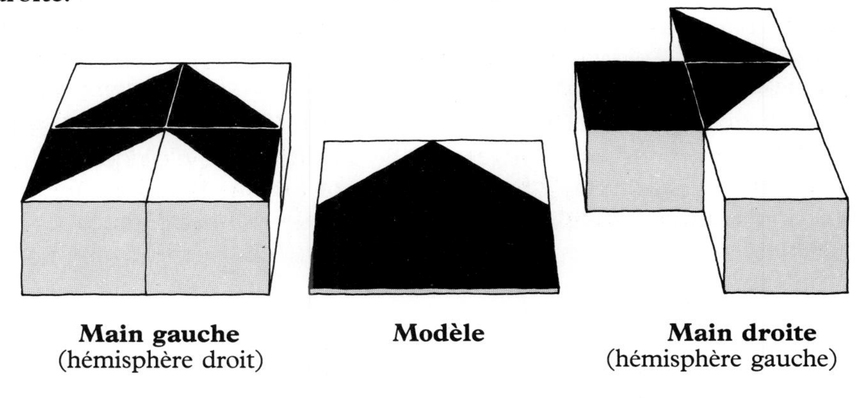

Main gauche (hémisphère droit) | **Modèle** | **Main droite** (hémisphère gauche)

La plupart des gens pensent qu'il lui sera aussi facile de réaliser ces mêmes dessins avec une main qu'avec l'autre ; cependant, la main droite a de grandes difficultés ; même pour un dessin des plus simples, elle tourne les cubes au hasard dans tous les sens. A un moment donné, dans le film de Sperry, le patient retourne un cube pour compléter un dessin, mais il continue son geste et finalement le réalise de travers à la grande consternation du spectateur. Mais c'est là que survient le fait le plus intéressant : la partie gauche du patient est également consternée. La main gauche apparaît furtivement sur le côté et essaie de corriger ce qu'à fait la main droite.

Joseph Bogen, un chirurgien qui a réalisé une intervention de disconnexion, étudie les effets de cette intervention sur l'aptitude au dessin (les conséquences en sont visualisées par les dessins du début de ce chapitre). Au cours d'une autre épreuve, Bogen demande à un malade de recopier une croix et un cube. Nous reproduisons ici les dessins réalisés par la main gauche et par la main droite du malade. Les copies dessinées par la main gauche (l'hémisphère droit) sont relativement correctes ; celles dessinées par la main droite ont un trait plus ferme mais la représentation des formes est déplorable : il est impossible, comme c'est le cas avec les dessins du début du chapitre, d'y reconnaître la forme des modèles. Les différentes parties de l'ensemble du schéma sont, pour ainsi dire, simplement énumérées. « Tout ce que nous avons vu, écrit Sperry, indique que cette opération a laissé ces patients avec deux cerveaux séparés, c'est-à-dire avec deux sphères de conscience. » Il faut noter que ces « sphères » sont tout à fait différentes : l'une semble pouvoir s'exprimer avec des mots, l'autre par des dessins. Mais la question suivante se pose encore : le cerveau des sujets normaux fonctionne-t-il de cette manière, ou le cerveau séparé n'est-il qu'une conséquence de l'opération ?

Ces études spectaculaires de séparation et de lésions cérébrales ne sont pas les uniques preuves de la dualité physiologique de la conscience. En général, il faut être prudent lorsque l'on imagine une fonction normale en extrapolant à partir de données issues de la pathologie et de la chirurgie. A propos de ces cas nous devons nous

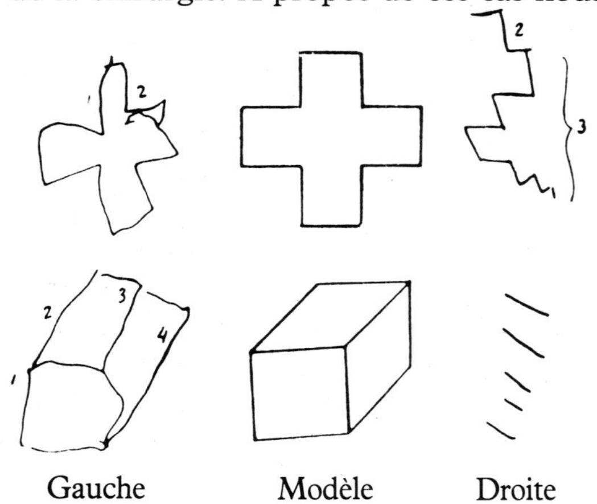

Gauche Modèle Droite

rappeler que nous explorons un fonctionnement pathologique, et non physiologique, et que le lien avec un fonctionnement normal peut être ténu. En cas de lésion cérébrale, on ne sait jamais si un hémisphère n'a pas pris en charge une fonction dévolue normalement à l'autre hémisphère. Dans le cas des patients opérés, ils sont par définition atypiques, ne serait-ce qu'en raison de leur épilepsie.

En conclusion, il est nécessaire de fournir des preuves à partir des sujets normaux, même si ces preuves sont par le fait même indirectes puisque chez ceux-ci il n'est pas question d'aller fouiller dans leur cerveau. Nous avons de la chance car des études récentes sur des personnes normales ont confirmé une grande partie des expériences chirurgicales. Les arguments viennent de plusieurs horizons : tests visuels, mouvements des yeux, temps de réaction, dominance auditive, asymétrie des signes électriques cérébraux.

La spécialisation du cortex : Extrait du carnet de Robert Ornstein.

Un des auteurs de ce livre, Robert Ornstein, a essayé de mettre au point une méthode simple pour savoir si le cerveau normal se sert d'une « latéralisation » comme le cerveau « disconnecté ». Le cerveau a été « construit » au-dessus du tronc cérébral, couche après couche. Cela veut dire que les parties les plus intéressantes du cerveau — les différentes régions du cortex — sont juste sous la voûte osseuse ; et l'activité du cerveau peut, de fait, être enregistrée par des électrodes placées à la surface de la voûte.

Cet enregistrement est appelé électro-encéphalogramme (EEG). L'EEG consiste en un examen du voltage produit par le cerveau et enregistré à la surface du crâne ; ce voltage est très bas, de l'ordre de quelques millionièmes de volt. L'EEG est un examen relativement grossier, un peu comme si l'on enregistrait le bruit qui s'élève au-dessus d'une ville ; si vous tentiez un tel enregistrement vous pourriez vous apercevoir que dans le centre-ville il y a plus de bruit de neuf heures à dix-sept heures, qu'en banlieue il y en a plus le soir et qu'après minuit il n'y en a presque plus. Mais vous n'utiliseriez pas la mesure du bruit d'ensemble pour déterminer une modification minime d'activité dans la ville, comme par exemple le déplacement des habitants vers un bureau de vote. Dans le même ordre d'idées, l'enregistrement des ondes cérébrales ne peut que nous dire si une région du cerveau est « bruyante », active.

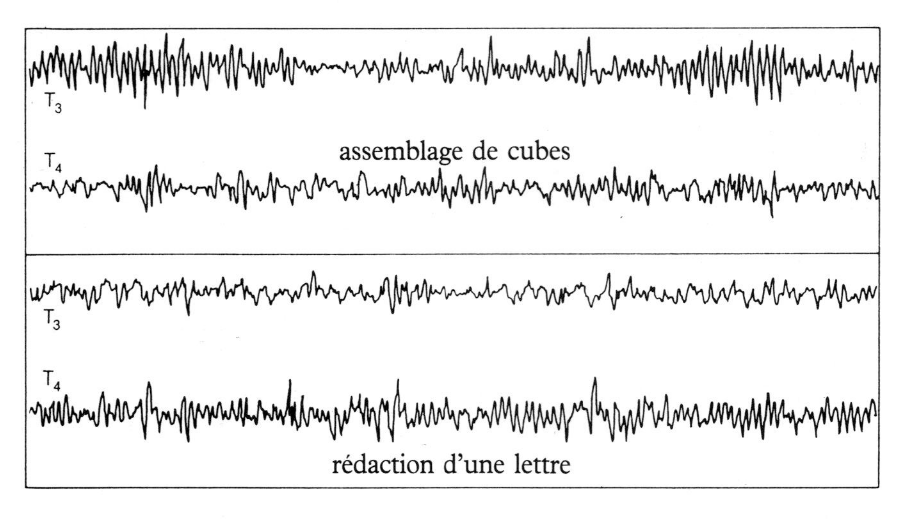

Enregistrement EEG au cours des deux activités cognitives

L'idée de l'expérimentation que nous avons mise au point était la suivante : si le cerveau d'une personne normale, en train de réfléchir, activait des hémisphères différents, alors en enregistrant l'électro-encéphalogramme au niveau des deux hémisphères d'un sujet normal en train de réaliser une activité cognitive, il serait peut-être possible de voir un signe de l'activation et de l'inhibition sélective de ces deux hémisphères.

Avec son collègue David Galin, Robert Ornstein a mis ces idées en application sur un étudiant. Les électrodes d'EEG ont été placées sur la voûte, dans les régions temporales et pariétales droites et gauches. Puis on lui a demandé de réaliser des activités verbales et spatiales : écrire une lettre et assembler des cubes colorés selon un modèle donné.

Les résultats furent immédiats et frappants : pendant qu'il écrivait (activité de l'hémisphère gauche) il produisait des ondes alpha de grande amplitude (ondes ayant une fréquence de l'ordre de dix cycles par seconde) au niveau de l'hémisphère droit, et des ondes beaucoup moins amples au niveau de l'hémisphère gauche. Cet aspect était inversé lorsqu'il rangeait les cubes, avec un rythme alpha prédominant sur l'hémisphère gauche et moins visible sur l'hémisphère droit. On considère généralement que le rythme alpha indique une diminution des processus d'information dans une aire donnée.

Ces résultats, en permettant une appréciation de l'activité des deux hémisphères d'un sujet normal, semblaient correspondre à ce que nous cherchions. L'hémisphère gauche se « mettait au repos » pendant que l'étudiant arrangeait les cubes ; l'hémisphère droit faisait de même pendant qu'il écrivait. On a répété ce test pendant tout l'été ; d'autres membres du laboratoire ont également été recrutés. Les mêmes résultats ont été retrouvés : leurs EEG montraient (pour chaque activité) que l'aire corticale qui n'était pas utilisée était « mise hors circuit ».

Nous avons reproduit un EEG enregistré pendant qu'une personne normale réalisait de telles activités cognitives. Notez l'aspect de l'alpha de grande amplitude au niveau de l'hémisphère gauche (T_3) au cours d'une épreuve de spatialisation, et l'alpha qui est plus important à droite (T_4) au cours d'une activité verbale ou mathématique.

A la vue de ces résultats nous avons apprécié les difficultés que d'autres chercheurs ont rencontrées en essayant de relier EEG et intelligence, connaissance ou conscience. Nous avons tenu compte de différents facteurs qui semblent avoir été négligés auparavant : 1) Nous avons enregistré l'EEG pendant que le sujet était en train de réaliser une activité, et n'avons pas essayé d'interpréter un EEG « de repos ». 2) Nous avons sélectionné des activités cognitives déjà connues, par des arguments cliniques, pour dépendre d'un hémisphère plutôt que d'un autre. 3) Nous avons choisi la position des électrodes en fonction des données anatomiques. Un certain nombre d'arguments suggèrent que les aires temporales et pariétales sont fonctionnellement les plus asymétriques, alors que les aires occipitales sont les plus semblables. Malheureusement les enregistrements EEG au niveau occipital ont été très souvent utilisés dans le passé, probablement parce que ce sont les moins sensibles à des interférences d'origine musculaire ou oculaire.

Nous avons recruté dix nouveaux sujets pour une étude systématique. Il leur a été demandé d'écrire une lettre, d'assembler des cubes de bois, de réaliser un dessin et aussi de réaliser mentalement toutes les activités précédentes (rédaction mentale d'une lettre, assemblage mental de formes...). Nous avons analysé les résultats en termes de proportion d'activité entre hémisphère droit et hémisphère gauche au niveau des lobes temporaux et pariétaux. Nous avons interprété un potentiel EEG élevé comme signifiant une activité calme ou un repos ; un rapport élevé signifiait une moindre activité de l'hémisphère droit et une activité prédominante à gauche. Un rapport faible indiquait une activité plus importante de l'hémisphère droit. Les résultats ont montré que pendant la période de manipulation des cubes et de représentation mentale des formes, les rapports étaient de 10 à 20 % plus bas que lors des activités verbales. Cela indique une implication plus grande de l'hémisphère gauche dans les activités verbales, de l'hémisphère droit dans les activités spatiales.

Des études plus récentes utilisant ce type de mesure montrent que le facteur primaire de la spécialisation hémisphérique n'est pas le type d'information (mots et dessins, ou sons et formes) considéré, mais la manière dont le cerveau traite l'information. Une de ces études a comparé l'activité corticale de sujets qui lisaient deux types de textes : des extraits techniques d'une part et des contes populaires d'autre part. Il n'y avait pas de modification du niveau d'activité de l'hémisphère gauche ; en revanche l'hémisphère droit était plus actif lorsque le sujet lisait le conte que lorsqu'il lisait le texte technique. Un texte technique est essentiellement logique. Une histoire est plus complexe dans la mesure où plusieurs choses se passent en même temps : la signification de l'histoire apparaît à travers la combinaison du style, de l'intrigue, de l'évocation d'images et de sensations. Il apparaît donc que le langage *sous la forme d'une histoire* peut activer en priorité l'hémisphère droit.

Dans une autre expérimentation, l'activité cérébrale a été enregistrée pendant que les sujets faisaient mentalement pivoter des boîtes. Cette opération fait normalement intervenir l'hémisphère droit. Lorsqu'il leur a été demandé de réaliser ce travail de façon analytique, en comptant les boîtes, les sujets ont alors largement « branché » leur hémisphère gauche. Ainsi, les individus peuvent utiliser leurs hémisphères de façon différente lorsqu'ils cherchent à résoudre un problème.

Une application importante de cette recherche peut être trouvée dans le travail de Richard Davidson et de ses collaborateurs de l'Université de l'État de New York à Purchase. Si l'on demande à une personne de revivre une expérience émotionnelle intense, l'hémisphère impliqué dépend de la nature de l'émotion. Un mythe récent et très populaire veut que tout ce qui est agréable soit en rapport avec l'hémisphère droit. En fait, c'est l'hémisphère gauche qui semble être impliqué dans les expériences émotionnelles heureuses ; l'hémisphère droit est, lui, impliqué dans les réactions négatives comme la mauvaise humeur. Cette donnée est confirmée de façon saisissante par Davidson : en enregistrant des bébés de dix mois il a noté que là encore l'hémisphère droit est impliqué dans des émotions comme la fureur, et l'hémisphère gauche dans les réactions de joie.

Il n'y a pour l'instant aucune explication satisfaisante à ces faits, mais les hypothèses sont les suivantes : l'hémisphère gauche semble être impliqué dans le contrôle des mouvements fins, l'hémisphère droit dans celui des activités élargies comme la course ou le lancer d'objets. Il se peut qu'au cours de l'évolution humaine il ait été utile que le contrôle des mouvements amples soit situé à proximité de la zone de contrôle des sensations négatives, de sorte qu'en cas de nécessité il soit possible de réagir rapidement, par exemple en courant ou en frappant. En tout cas, toutes ces données sont nouvelles et importantes, et vont nous permettre de mieux comprendre pourquoi telle ou telle fonction est placée dans un site particulier du cerveau.

Ces études sur des cerveaux entiers ou séparés ont conduit à une nouvelle conception de la connaissance, de la conscience et de l'intelligence humaine. Toute connaissance ne peut être entièrement exprimée par des mots, bien que notre éducation soit essentiellement basée sur l'écriture et la parole. Une raison de cette difficulté à traduire nos idées et nos pensées est que nous n'avons probablement pas encore de schéma standard pour exprimer l'élément non verbal de notre intelligence.

Les deux aspects de la connaissance ne sont pas exclusifs mais complémentaires. En fait, sans une perspective d'ensemble, notre aptitude à analyser peut nous être aussi inutile qu'elle l'était pour la main droite du patient au cerveau disconnecté. Inversement, toute intuition est perdue à moins que l'on ait un moyen de l'exprimer. Beaucoup de gens que l'on considère « inintelligents » ou même « retardés » possèdent peut-être, en réalité, une intelligence d'une autre sorte qui peut les rendre tout à fait précieux à la société. Le neurologue Norman Geschwind a présenté ainsi le dilemme :

> Il faut se rappeler que nous avons pratiquement tous un nombre non négligeable d'incapacités spécifiques d'apprentissage. Par exemple, globalement, je ne suis pas musicien et ne peux reconnaître une note de musique. Il se trouve que nous vivons dans une société dans laquelle un enfant qui a du mal à lire sera en difficulté. Cependant, nous avons tous rencontré des enfants dyslexiques qui dessinent mieux que leur professeur, c'est-à-dire qui ont soit une habileté visuo-perceptive soit une habileté visuo-motrice supérieure à celle du professeur. Mon opinion est

que dans une société illettrée un tel enfant ne serait qu'en légère difficulté et pourrait, de fait, mieux se débrouiller grâce à ses qualités visuo-perceptives alors que beaucoup d'entre nous qui fonctionnons bien ici, risqueraient de se débrouiller moins bien dans une société au sein de laquelle des talents tout à fait différents seraient nécessaires pour réussir. (Norman Geschwind, Language and the Brain (Le langage et le cerveau). *Scientific American* 226 (4), 76-83.)

7

LE CERVEAU PERSONNALISÉ

CELA SEMBLAIT devoir être un travail simple. Tout ce qu'un des auteurs (Robert Ornstein) essayait de faire était de mesurer la superficie du cortex de différents cerveaux, afin d'avoir une idée de la taille des diverses aires cérébrales. Il n'avait pas imaginé tout ce qu'il y avait à découvrir en étudiant de près de vrais cerveaux. Ce qu'il y avait de plus surprenant était ceci : comme la plupart des gens, l'auteur imaginait le cerveau à travers les dessins anatomiques qu'il connaissait, les schémas qu'il avait vus et les cerveaux qu'il avait disséqués. Mais au cours même de son travail quotidien au laboratoire, il commença à se rendre compte que chaque cerveau était différent. L'un avait un bombement caractéristique ici, l'autre là, un autre un gros lobe occipital, un autre encore un petit lobe temporal. En fait, le cerveau des gens est aussi différent d'une personne à l'autre que l'est leur visage.

Les figures sont bien sûr relativement semblables dans le sens où les yeux sont au-dessus du nez, le nez au-dessus de la bouche et la bouche au-dessus de la mâchoire. Mais au sein de ces similitudes il y a de grandes variations : certains ont de gros nez, d'autres de petits yeux. Il en est de même avec le cerveau. Les aspects spécifiques d'un cerveau varient d'un individu à l'autre. Comment se développe un encéphale, comment il grandit et se modifie au cours de la vie d'un individu, et même comment il change au cours d'une même journée dans une aire donnée, tout cela commence tout juste à être étudié. On ne peut pas raisonner sur un cerveau qui serait identique pour tous. Certaines découvertes récentes que nous rapportons ici rendent cela impensable.

Vous vous rappelez certainement depuis le chapitre 1 que les humains naissent extraordinairement immatures et que les cerveaux humains se développent beaucoup au cours de la vie extra-utérine. De sorte que l'environnement joue un rôle beaucoup plus important chez l'homme que chez n'importe quel autre primate.

On croit communément qu'à la naissance les neurones commencent à se connecter les uns aux autres et que cette connexion augmente avec l'âge et l'expérience. Cependant, c'est l'inverse qui se passe : il y a bien plus de connexions de neurones dans le cerveau d'un nourrisson que dans celui d'une personne âgée. La maturation semble être plus le fait d'un « élagage » de ces connexions que d'une multiplication de celles-ci. Considérez un nourrisson qui babille : dans les premières semaines de vie un bébé peut faire entendre à peu près n'importe quel son de n'importe quelle langue. Plus tard le nourrisson perd cette aptitude à émettre des sons qui n'appartiennent pas à la langue qu'il a appris. Nous avons certainement un très grand potentiel de sons à notre disposition à notre naissance, mais finalement nous n'en apprenons que quelques-uns. Le cerveau est probablement programmé pour réaliser de nombreuses activités, et entre autres pour apprendre les milliers de langues ou de dialectes humains, mais nous n'en apprenons en pratique que quelques-uns.

Cependant, la croissance du cerveau dépend d'un environnement adéquat. Une malnutrition sévère peut entraîner un développement cérébral insuffisant avec un cerveau plus petit qu'il ne devrait l'être et un retard mental important. De nombreuses expérimentations ont montré que des rats mal ou trop peu nourris dans leur petite enfance présentaient des anomalies de la structure encéphalique et même une atrophie de certaines régions cérébrales. Le cerveau, tout comme un muscle, peut au contraire croître en réponse à une certaine expérience — les neurones eux-mêmes augmentent de taille.

Une des preuves les plus marquantes est issue d'une série de travaux commencée il y a plus de vingt ans par Mark Rosenzweig et poursuivie par Marion Diamond à l'Université de Berkeley (Californie). Ils étudient le cerveau de rats en contrôlant leurs antécédents génétiques. Les rats ont une durée de gestation relativement courte — 21 jours — et ont un cortex cérébral lisse. Le cerveau des chiens est plissé, celui des chats l'est également, mais celui des rats ne l'est pas et cela facilite considérablement les mesures chimiques et anatomiques — le caractère lisse de l'encéphale permettant de travailler sur des prélèvements homogènes de tissu nerveux.

Tous les animaux ont été au préalable élevés dans des conditions standardisées : trois rats par cage, nourris de façon identique. L'expérimentation comporte un environnement différencié : pour les uns enrichi avec des « jouets » ou des objets ludiques, pour les autres appauvri (peu de stimulations et des déplacements limités par la taille de la cage qui est plus petite). Dans l'environnement enrichi sont placés douze rats vivant ensemble avec des jouets. Tous les jours les expérimentateurs changent les objets pris au sein d'un ensemble standard. S'ils ne les changent pas, les animaux s'ennuient. Dans l'environnement appauvri chaque rat vit seul sans jouet ; il peut voir, sentir et entendre les autres rats mais ne peut jouer avec eux.

Diamond sélectionne trois rats frères ; l'un va dans l'environnement enrichi, l'autre dans la colonie témoin, le troisième dans l'environnement appauvri. Même chez les jeunes adultes d'un an, l'environnement enrichi sera responsable d'un accroissement du poids de l'encéphale, de 10 % à peu près dans la plupart des cas. Au début, aucun chercheur ne croyait à ces résultats ; mais maintenant, devant la réalité des preuves expérimentales, à peu près tous ont été convaincus.

Bien que leur travail soit déjà suffisamment révolutionnaire, Diamond et ses collègues voulurent savoir s'ils pouvaient obtenir le même résultat avec les cerveaux de rats âgés. Ils placèrent quatre rats très âgés avec huit jeunes pour voir si cette cohabitation aurait des effets stimulants et mesurables sur le cerveau des vieux rats. La croissance cérébrale des rats confirma les résultats précédents. Le cerveau de chacun des vieux rats augmenta de quelque 10 % pendant que ceux-ci vivaient avec les jeunes. Celui des jeunes ne grossit pas pendant qu'ils vivaient avec les vieux. Pourquoi les cerveaux des jeunes rats n'ont-ils pas pris de poids alors que ceux des vieux en prenaient ? Une indication peut être trouvée dans les différentes réactions des jeunes et des vieux à cette situation expérimentale. Chaque jour, lorsqu'un expérimentateur venait changer leurs jouets, les vieux rats venaient voir quels jouets étaient disponibles alors que les jeunes continuaient à dormir dans leur coin. Il apparaît ainsi, d'après Diamond, qu'il existe une sorte de hiérarchie lorsque jeunes et vieux cohabitent : les vieux dominent les jeunes. (Marion Diamond dit souvent en plaisantant que c'est pour cette raison aussi que les vieux professeurs continuent à être stimulés et peuvent vivre cent ans

— parce qu'ils ont affaire à des jeunes gens qui agissent comme les jeunes rats.)

Une analyse de la croissance cérébrale a montré que les changements spécifiques surviennent au niveau des dendrites qui s'épaississent au cours des expériences de stimulation. C'est comme si la forêt neuronale s'enrichissait et que la densité des branches augmentait ; c'est ce qui fait que le cerveau grossit.

Il n'y a pas que les expériences ci-dessus pour affecter la croissance cérébrale. D'autres circonstances comme une augmentation de l'ionisation négative de l'air — telle que l'on peut la trouver au sommet des montagnes, près d'une chute d'eau ou au bord de la mer, ou telle que Diamond l'a créée au sein des colonies de rats avec un générateur — peuvent produire les mêmes changements de croissance cérébrale. Ainsi, non seulement la vie en société et les expériences stimulantes peuvent modifier le cerveau, mais également l'air frais des montagnes, les cascades et autres lieux où la concentration ionique (positive et négative), est élevée. Les ions peuvent aussi modifier la composition chimique des neurotransmetteurs ou influer sur l'humeur de l'individu ; tout le monde connaît d'ailleurs la joie de vivre qu'on éprouve à la montagne ; de même le vent rend certaines personnes dépressives ou nerveuses.

L'effet de l'alimentation sur la croissance cérébrale n'a pas encore été étudié, mais on sait que les aliments influencent l'environnement chimique de l'encéphale. Le cerveau est un tissu précieux et particulièrement bien protégé du monde extérieur : la boîte crânienne est un bouclier solide et il y a de plus des barrières de protection internes. Un réseau de cellules constituant ce qu'on appelle la barrière hémato-encéphalique évite aux produits toxiques circulant dans le sang d'atteindre le cerveau. D'autre part, bien que le cerveau ne représente que 2 % du poids du corps, il consomme 20 % de l'oxygène de l'organisme. A cause de ces protections on pensait que les mécanismes internes du cerveau n'étaient pas sensibles aux modifications physiologiques de l'organisme ni aux événements du monde extérieur.

Cela est faux. Le régime alimentaire a une influence avant même la naissance. Harvey Anderson, de l'Université de Toronto, a prouvé que le régime des rates pouvait influencer les préférences alimentaires de leurs petits : par exemple des mères qui mangent des hydrates de carbone mettent au monde des petits qui préfèrent les hydrates de carbone. Dans un autre travail dont les implications sont plus inquiétantes, Bernard Weiss, de l'Université de Rochester (État de New York), a montré que les toxiques associés à l'alimentation des rates enceintes se retrouvent chez les fœtus 90 minutes plus tard.

Des expérimentations récentes menées par Richard Wurtman du MIT (Massachusetts Institute of Technology à Boston) ont montré qu'un changement de régime alimentaire pouvait entraîner très rapidement des modifications dans la chimie du cerveau. Dans un travail déjà ancien, il a montré que l'ingestion de protéines augmentait la production cérébrale de sérotonine. L'ingestion de substances riches en choline augmente nettement le taux de neurotransmetteurs ACh dans le cerveau, en particulier dans le tronc cérébral et le cortex hémisphérique. La choline est présente dans la lécithine (qui est vendue comme supplément nutritif) et dans les jaunes d'œufs ; beaucoup moins dans le poisson, les céréales et les légumes, de sorte que les œufs sont plus un « aliment pour le cerveau » que le poisson. Qu'un régime alimentaire puisse aider ou non à l'apprentissage et à la mémorisation est loin d'être prouvé, mais il serait dommage de méconnaître l'intérêt d'une recherche scientifique sur ce sujet. D'autres aliments ont des effets spécifiques sur les mécanismes cérébraux. L'ingestion de tryptophane (un acide aminé) augmente la production de sérotonine (un neurotransmetteur) que l'on pense être impliqué dans la régulation du sommeil et de l'éveil. Ces données récentes et fascinantes ouvrent un nouveau champ d'investigation. Le cerveau est sujet à des modifications rapides en rapport avec le régime alimentaire. Parce que la nourriture que nous absorbons peut modifier les mécanismes chimiques du cerveau, elle peut influencer nos préférences alimentaires, notre comportement, notre état de vigilance ou de sommeil.

Le cerveau, qui sait répondre lentement à des modifications de l'environnement, peut également se réorganiser afin de compenser les conséquences d'accidents ou de changements brutaux dans les conditions de vie. Bien que chez la plupart des individus le centre du langage soit situé dans l'hémisphère gauche, les personnes qui ont une lésion de cet hémisphère peuvent être rééduquées et entraînées à produire un langage avec leur hémisphère droit ; mais cette adaptabilité diminue rapidement avec l'âge. L'hémisphère droit peut prendre en charge le langage chez les jeunes enfants qui ont une lésion grave de l'hémisphère gauche. Chez les sourds, les aires temporales normalement affectées au langage oral sont, au contraire, utilisées pour traiter les informations visuelles.

Un exemple frappant de cette malléabilité cérébrale apparaît lorsqu'une personne apprend une deuxième langue. Des observations surprenantes ont été rapportées, selon lesquelles l'apprentissage d'une deuxième langue entraîne parfois une réorganisation cérébrale. Dans un cas la première langue s'est déplacée de l'hémisphère gauche vers l'hémisphère droit. Dans d'autres, la deuxième langue peut occuper uniquement l'hémisphère droit ou être représentée dans les deux hémisphères.

Le cerveau apparaît malléable et adaptable, et cette capacité à se modifier peut sous-tendre les différences existant entre les individus ; considérons maintenant trois groupes importants : droitiers et gauchers, différentes races humaines, hommes et femmes. Le cerveau du gaucher est différent de celui du droitier. Il y a trois sortes d'organisation cérébrale chez le gaucher : un groupe a une organisation cérébrale comparable à celle d'un droitier, un deuxième groupe a une organisation inversée et dans le troisième groupe le langage et l'intégration spatiale sont représentés dans les deux hémisphères. Que ces différences puissent être prises pour des anomalies est équivoque : certaines études trouvent chez des gauchers des anomalies du langage et de la spatialisation, d'autres ne trouvent rien. Dans les suites d'une lésion cérébrale, les gauchers (et curieusement leur famille également) récupèrent mieux que les droitiers, ce qui indique que leurs centres du langage sont plus dispersés dans le cerveau.

Ce qui est moins équivoque est la prévention culturelle pour ce qui est à gauche. Le mot « gauche » en français veut dire tout à la fois « maladroit » et « côté opposé à la droite ». Le mot « sinistre » vient du latin pour « gauche » *(sinister)*.

On ne sait pas si les inégalités cérébrales se traduisent par des différences de personnalité ou de traits intellectuels ; toutefois l'existence de différences importantes entre les cerveaux est une certitude, et ces différences peuvent se traduire par des différences dans les régulations organiques. Les gauchers, par exemple, ont un taux plus élevé de maladies auto-immunes que les droitiers.

Il y a une différence évidente entre les droitiers et les gauchers, tout comme bien sûr entre les sexes. Mais qu'en est-il des races ? Y a-t-il au niveau du cerveau des différences liées à la race ? Il est difficile d'être tout à fait affirmatif mais de telles différences raciales semblent improbables. Le concept même de race est d'ailleurs équivoque — les gènes qui déterminent la couleur de la peau et des yeux ne semblent pas étroitement liés à ceux qui déterminent la personnalité et les capacités intellectuelles. De plus, les individus reçoivent leurs gènes de leurs parents et non d'une espèce de « pool » racial. Quant aux rapports entre intelligence (si tant est qu'elle soit définie) et race, ils sont si complexes qu'aucun jugement réel ne peut être porté. S'il existe de quelconques différences raciales, elles sont aisément comblées par l'apprentissage, ce qui n'est pas le cas des différences sexuelles.

Et là nous arrivons à un point particulièrement controversé. Il existe des différences profondes entre les cerveaux des hommes et ceux des femmes, des différences qui existent souvent avant même la naissance. Au cours des dernières années, de nombreux éléments de preuves ont documenté ces différences de comportement et d'aptitude : les femmes ont une aisance verbale supérieure à celle des hommes ; elles ont un meilleur contrôle des mouvements fins et sont moins agressives. Les hommes possèdent, quant à eux, un meilleur contrôle des gros muscles, ils sont plus sensibles aux mouvements et plus agressifs. Ce qui est nouveau c'est que ces différences comportementales ont une traduction anatomique au niveau du cerveau. Les garçons ont un développement hémisphérique droit plus précoce que les filles. Sandra Witelson, de l'Université McMaster (Ontario, Canada) a demandé à des garçons et à des filles âgés de trois à treize ans d'apparier des objets à des formes. A l'âge de cinq ans, les garçons montrent une supériorité dans la réalisation de cette tâche lorsque les objets sont manipulés avec la main gauche plutôt qu'avec la droite. Les filles sont meilleures que les garçons pour les activités de l'hémisphère gauche dans les classes secondaires.

Outre ces différences de maturation hémisphérique, les hémisphères sont plus spécialisés chez les hommes que chez les femmes. Chez les hommes, la représentation de la pensée analytique et séquentielle est plus clairement objectivée dans l'hémisphère gauche, et l'intégration des données spatiales est plus latéralisée à droite. Ainsi, une lésion de l'hémisphère gauche retentit plus chez l'homme que chez la femme sur les capacités verbales, de même qu'une lésion de l'hémisphère droit retentit plus sur la spatialisation chez l'homme.

Ce n'est que récemment qu'un autre argument allant dans le même sens a été découvert. Christine de Lacoste et ses collègues, à l'Université de Berkeley (Californie), en examinant les corps calleux de plusieurs cerveaux, se sont aperçus qu'ils pouvaient les identifier comme appartenant à un homme ou à une femme rien qu'en les observant. Les corps calleux de l'homme et de la femme apparaissent aussi différents les uns des autres que le sont les bras des hommes et ceux des femmes : un simple observateur peut facilement les regrouper par sexe. Les corps calleux des femmes sont plus larges que ceux des hommes. Ils sont surtout plus larges à leur partie postérieure, ce qui correspond à la région cérébrale impliquée dans la transmission des informations concernant les mouvements dans l'espace et la vision en relief. C'est justement la région du corps calleux au niveau de laquelle on pouvait s'attendre à trouver effectivement une différence : les capacités nécessitant une bonne intégration spatiale, comme de lancer un objet, sont moins latéralisées chez la femme, ce qui nécessite une implication des deux hémisphères et non d'un seul. Cette différence apparaît *in utero* dès la vingt-sixième semaine ; il s'agit donc d'une différence innée dans le principal système de communication intracérébral.

Que nous puissions trouver d'autres différences est une autre question. Mais maintenant que nous savons que l'aspect du cerveau varie réellement selon les circonstances — modification de l'air ambiant, conditions d'apprentissage, régime alimentaire, latéralisation manuelle, sexe — il devient possible de répondre en partie à la question : Pourquoi les humains sont-ils si différents les uns des autres ? Il y a probablement plus de différences entre les cerveaux humains qu'entre les cerveaux des autres animaux, en partie parce que la croissance du cerveau humain se fait essentiellement *ex utero*. Nous ne sommes pas aussi interchangeables que les autres animaux et la raison en est à notre cerveau. Les neurophysiologistes peuvent réaliser un atlas précis du cerveau du chat, les structures cérébrales étant très similaires d'un chat à l'autre. Mais peut-on imaginer de faire de même avec des humains, alors que même le corps calleux est différent chez l'homme et chez la femme ? Cette différence fondamentale est probablement l'une des raisons qui font que les hommes et les femmes se supportent si mal... et s'attirent tant !

8

LE CERVEAU GESTIONNAIRE DE NOTRE SANTÉ

NOUS FAISONS LA COURSE avec nous-mêmes, et cette course se déroule en partie dans notre cerveau.

Pour autant qu'on le sache, la vie humaine et le cerveau humain sont différents de ceux des autres espèces. Cette différence est la source de notre créativité aussi bien que la base de nombreux problèmes humains. Elle résulte en grande partie de la croissance spectaculaire du cerveau humain au cours des derniers millions d'années.

Toutes les espèces se sont développées à la limite de leur habitat originel. Les animaux ont pu s'adapter à leur environnement spécifique grâce à des modifications physiques radicales comme par exemple l'hibernation. Cependant, les hommes sont différents : ils sont sortis des limites de leur territoire originel, dans le continent africain. Nous habitons maintenant sur toute la surface de la planète, dans des villes surpeuplées, des climats glacés, des gratte-ciel et même, pour de courtes périodes, en dehors de notre planète elle-même.

Nous n'avons pas changé biologiquement au cours des quelque derniers vingt mille ans ; mais les modifications que nous avons provoquées dans notre environnement sont énormes. Nous nous sommes construit un nouveau monde : des villes, des avions, etc., qui n'existait pas il y a vingt mille ans. Les défis auxquels nous sommes confrontés sont différents de ceux des autres espèces. Notre environnement change de plus en plus rapidement. Nous autres humains devons nous adapter à chaque modification que nous créons dans le monde et notre capacité de fabriquer ces changements va en augmentant.

Ainsi, le problème réside dans le fait que notre capacité de création est toujours en avance sur notre capacité d'adaptation. Nous sommes prisonniers d'un cycle permanent d'adaptation à des situations déjà dépassées.

Si trop de changements s'accumulent dans une même période de notre vie, comme la mort d'un conjoint, un nouveau travail et un déménagement, notre capacité d'adaptation peut alors atteindre ses limites et nous tombons malades. Une partie des problèmes est en fait liée à la compétitivité de notre cerveau : il peut parfois faire face aux problèmes, et parfois, il ne le peut pas. Il est tout à fait de mise actuellement de dire que nous n'avons, dans de telles situations, pas assez de « temps pour vivre », que nous sommes au-delà de nos facultés d'adaptabilité. Ceci n'est qu'en partie vrai car plus nous en savons sur le cerveau, plus nous découvrons qu'il peut prendre en charge un certain nombre de fonctions de l'organisme : notre appétit, notre poids et notre santé, même dans les circonstances les plus pénibles.

Voyons quelques exemples. Vous êtes en train de regarder un film à suspense à la télévision ; vous êtes tendu, puis détendu ; chaque fois que vous apercevez l'assassin, votre cœur commence à battre, votre bouche devient sèche, votre estomac se noue et vos mains sont moites ; puis tout rentre dans l'ordre. Finalement le film se termine, l'assassin est arrêté et vous reprenez votre petite vie tranquille ; vous venez de vivre une « réaction d'urgence » ; c'est une réaction biologique archaïque et innée qui nous prépare à l'imprévu. Elle entraîne une augmentation du rythme cardiaque ainsi que des modifications du foie, de la rate, de la respiration, des pupilles et des muscles. Vous êtes prêt à réagir. Lorsque vous commencez un nouveau travail ou arrivez à un rendez-vous important, vous réagissez de même. Les gens mettent en jeu ce type de réaction bien plus souvent dans notre monde moderne qu'ils ne le faisaient auparavant. Cette réaction « préhistorique » est utile en cas d'urgence mais elle ne l'est pas en permanence. Elle est en fait devenue aussi dépassée que la « chair de poule », cette réaction par laquelle le corps essaye de conserver sa chaleur en hérissant une fourrure inexistante pour y bloquer l'air ambiant.

Dans notre société moderne, le nombre de situations de stress auxquelles nous sommes confrontés est très, très supérieur à ce pour quoi nous avons été programmés. Personne n'a été programmé pour assister à des milliers de meurtres à la télévision avant l'âge de quinze ans, ni pour supporter l'agression sonore permanente des centres urbains. Personne n'a été conçu pour passer de la calèche à la navette spatiale en l'espace d'une vie. Nous sommes ainsi enracinés dans notre passé alors que la créativité de notre cerveau nous a déjà, au sens propre, embarqués dans les étoiles. Le résultat en est que trop souvent, nous « craquons » à mi-chemin alors que nous traversons des situations nouvelles et inattendues. De fait il a été montré que plus nous sommes confrontés à des situations nouvelles (des situations de stress comme peut l'être l'achat d'une maison, un déménagement, un mariage ou un divorce) plus nous risquons d'être malades. Bien que tous ceux qui vivent de telles séries d'expériences ne tombent pas malades, ces données nous montrent que notre environnement quotidien est, pour beaucoup de personnes, au-delà de nos limites biologiques.

Trop de stress dans la vie peut causer des maladies cardiaques. L'augmentation frappante du nombre de maladies cardio-vasculaires au cours de ce siècle n'est pas uniquement la conséquence d'une modification des régimes alimentaires, de l'activité sportive, des taux de cholestérol dans le sang ou de l'usage du tabac. Ces facteurs n'interviennent que pour moitié. Sir William Osler, un médecin anglais du début du siècle, notait que le patient type porteur d'une maladie coronarienne était « non pas la personne fragile, névrotique... mais l'homme robuste, volontaire et vigoureux, vif et ambitieux... qui va toujours et rapidement de l'avant ».

Les personnes qui font un infarctus du myocarde semblent souvent en bonne santé, mais elles ont des réactions biologiques au stress exagérées. Elles ont ce qu'on a appelé un comportement de type A. Les individus de type A, à risque coronarien, sont décrits comme marchant d'un pas rapide, comme étant impatients et irritables. Ils prennent très à cœur leur travail et refusent toute forme de faiblesse, de fatigue ou de maladie. Ils essaient d'en faire de plus en plus, en un temps de plus en plus court. Ils ne se préoccupent pas beaucoup de leurs relations avec leurs collègues mais sont très soucieux de l'opinion de leurs supérieurs.

Les types A risquent une maladie cardiaque deux fois plus que les personnes de type B ; celles-ci peuvent réussir tout aussi bien que les types A, mais elles sont plus calmes, mieux organisées, moins stressées, plus intéressées par la qualité que par la quantité de leur travail, et elles sont moins facilement contrariées.

Mais comment le stress peut-il entraîner une maladie ? Nous connaissons assez bien les mécanismes physiologiques généraux des réactions de stress, mais on ne fait que commencer à comprendre les mécanismes plus spécifiques. La réaction d'urgence est sous le contrôle du cerveau. Celui-ci stimule le cœur qui bat plus vite et amène les vaisseaux sanguins périphériques à se rétracter, ce qui augmente la pression sanguine. Les principaux neurotransmetteurs mis en jeu sont l'épinéphrine et la norépinéphrine. De plus, le système nerveux sympathique stimule la sécrétion d'une grande quantité d'épinéphrine et d'un peu de norépinéphrine, ce qui double leurs chances d'atteindre les organes-cibles.

La réaction physiologique spécifique qui peut léser le cœur est donc la réactivité excessive des types A aux situations auxquelles ils sont confrontés. Les types A présentent des réactions d'urgence plus marquées que les types B. Ils passent plus souvent et plus complètement d'une réaction d'urgence, avec augmentation du rythme cardiaque et de la tension artérielle, à une situation de repos ; les variations constantes du volume sanguin peuvent fragiliser la paroi vasculaire. Le sang coagule plus rapidement pendant les réactions de stress, ce qui augmente le risque d'athérosclérose, c'est-à-dire la formation de dépôts sur les parois des artères. Cela empêche le sang d'atteindre le muscle cardiaque, et par conséquent déclenche le processus qui conduit à l'infarctus. Outre cette baisse du flux sanguin dans le cœur, l'épinéphrine et la norépinéphrine peuvent précipiter l'arrivée d'un infarctus. En effet, non seulement elles augmentent le rythme du cœur, mais de plus elles le font battre irrégulièrement (c'est ce qu'on appelle l'arythmie cardiaque). Les systèmes de contrôle encéphalique sont donc étroitement liés aux événements coronariens.

Une autre découverte récente et importante concerne le système immunitaire, qui défend l'organisme contre les maladies et autres toxines ; comme Jonas Salk l'a souligné, sa fonction est assez semblable à celle du cerveau. C'est un système très complexe qui met en jeu de nombreux composants. Beaucoup de chercheurs pensent maintenant que le cerveau contrôle le système immunitaire et que celui-ci intervient de façon importante dans l'apparition des maladies et dans la lutte contre les entités pathogènes elles-mêmes, qu'il s'agisse de toxines, de virus ou de bactéries. Certains virus comme l'herpès sont toujours présents dans l'organisme mais ne deviennent actifs que lorsque le système immunitaire est perturbé. Des cellules susceptibles de devenir cancéreuses circulent en permanence dans l'organisme, mais chez les personnes en bonne santé elles sont aussitôt éliminées par le système immunitaire. Ces cellules « mutantes » ne peuvent prendre racine que si un facteur génétique ou ambiant supprime les fonctions de défense du système immunitaire.

C'est pourquoi un certain nombre de personnes pensent que le système immunitaire détient la clé du traitement et de la prévention du cancer ainsi que d'autres maladies, y compris peut-être la schizophrénie.

Un sujet de recherche sur le cerveau parmi les plus passionnants concerne l'effet des processus psychologiques, en particulier du stress, sur le système immunitaire. Les événements de la vie, tout comme les caractères d'une personnalité, interviennent comme facteurs de susceptibilité à la maladie, mais aussi comme facteurs de guérison. Par exemple, une étude récente a montré que la manière dont une femme fait face à un cancer du sein importe plus que la taille de la tumeur ou que le type de traitement.

De nouvelles techniques ont permis aux chercheurs de mesurer directement les indicateurs du fonctionnement du système immunitaire, et ils commencent maintenant à relier les émotions à certains changements dans les réactions de ce système. Par exemple, dix semaines après le décès de leur conjoint, certains veufs voient une de leurs réponses immunitaires s'effondrer pour devenir presque dix fois plus faible.

Nous commençons tout juste à comprendre comment les états psychologiques comme le chagrin affectent le système immunitaire. Il y a de nombreux éléments dans le système immunitaire et chacun d'eux peut être en relation avec les processus encéphaliques ; la réaction immunitaire est elle-même contrôlée par les processus cérébraux dont certains sont modifiables.

Que nous soyons stressés est un fait trop évident pour être nié. La conception actuellement en cours chez les médecins et les chercheurs est que nos problèmes de santé vont aller en s'aggravant au fur et à mesure que nous irons au-delà de notre héritage biologique et que le monde échappera à notre contrôle. Mais affirmer trop vite que notre cerveau ne peut pas faire correctement face au stress de la vie moderne est une injustice à son étonnante capacité de réguler notre santé.

La question qu'il faut plutôt se poser est : Comment arrivons-nous à rester en bonne santé dans cet environnement complexe qui est le nôtre ? La majorité des gens soumis au stress ne tombent pas malades, la majorité des gens qui fument ne développent pas de cancer du poumon, la majorité des gens qui sont dans le chagrin ne meurent pas rapidement, la majorité des gens qui se déplacent beaucoup ou changent souvent de mode de vie restent en bonne santé. Notre température corporelle reste constante, notre cœur se contracte des milliards de fois, nos glandes reçoivent les messagers chimiques adéquats et des millions d'autres processus de régulation fonctionnent quasi automatiquement. Le cerveau est là pour diriger l'organisme et le conserver en bonne santé. Les multiples prolongements des systèmes sensoriels, les systèmes de régulation interne nerveux et chimiques, tous sont là pour nous éviter des problèmes. Le cerveau est notre plus grand organe de sécrétion ; il produit la plupart des substances chimiques de l'organisme ; il est l'organe de notre santé, notre propre organisme d'assurance-santé.

Un aperçu des récentes découvertes en matière de science cérébrale nous a permis de voir à quel point notre « réseau guérisseur naturel » est élaboré, et de penser à tout ce que nous pourrions accomplir si nous pouvions faciliter le développement de ce réseau naturel grâce à des médicaments, par exemple.

Dans un important travail de l'Université de Californie à San Francisco, dirigé par Jon Levine, on a administré à un grand nombre de patients ayant un problème dentaire un médicament parmi plusieurs possibles, avant de leur soigner les dents. Certains absorbèrent des antalgiques, d'autres un placebo (c'est-à-dire une substance inerte que le malade croit être un vrai médicament). Les deux groupes ne se sont plaints que de peu ou pas de douleurs pendant la durée du traitement. Cette donnée se retrouve dans le monde entier, à savoir que les substances inertes, lorsqu'on les prend pour un médicament, influencent l'organisme.

Cet « effet placebo » a souvent été critiqué en médecine comme n'ayant aucun effet « vrai ». Cela rappelle l'expérience de Robert Esdaile, la première personne à avoir présenté une expérience d'hypnose à la *Royal Society*, la prestigieuse organisation scientifique britannique. Esdaile, devant une assemblée de cette société, amputa à la scie la jambe grangenée d'un patient sans aucune anesthésie. Mais son traitement ne fut pas accepté. Les membres de la *Royal Society* prétendirent qu'il s'agissait purement et simplement d'une supercherie. Il en est souvent de même avec les placebos, méprisés par les tenants de la médecine « dure ».

Cependant, l'expérimentation de Levine était différente. Après avoir administré un placebo à certains patients, Levine fit autre chose de novateur. Il donna à la moitié des patients de la naloxone, qui, nous l'avons vu, bloque les effets des endorphines en prenant leur place au niveau des récepteurs cellulaires. Si l'effet placebo n'était qu'illusoire, la naloxone n'aurait aucun effet. Mais si le placebo activait les endorphines, la naloxone aurait alors un effet. Les résultats furent surprenants aux yeux de nombreux neurochimistes : les patients auxquels on avait donné de la naloxone ne développèrent *pas* d'effet placebo : les travaux dentaires les firent souffrir. Cela veut dire que l'effet placebo, dans cette expérience en tout cas, avait dû entraîner une production d'endorphines, due au fait que ceux qui allaient subir des travaux dentaires étaient persuadés qu'ils n'auraient pas mal.

Ainsi le cerveau peut soulager la douleur en produisant, à la demande, des substances chimiques qui bloquent la transmission des signaux douloureux. On a rapporté que la production d'endorphine influence le poids, la mémoire, les symptômes de la schizophrénie et de nombreuses autres fonctions de l'organisme. Mieux encore, le système immunitaire a des récepteurs aux endorphines.

Le cerveau semble donc posséder des capacités de guérison et d'auto-entretien qui dépassent les espoirs que formaient les chercheurs il n'y a encore que quelques années. Il paraît en mesure de contrôler notre santé au-delà de tout ce qui peut se faire consciemment : Norman Cousins a raconté que le rire lui a permis de guérir d'une maladie mystérieuse ; Augustin de la Peña a émis l'hypothèse que certains cerveaux très peu stimulés pouvaient faciliter l'apparition d'un cancer ; Alan Frey a montré que les larmes d'émotion pouvaient contenir des substances que l'organisme avait besoin d'éliminer ; et de nombreuses idées récentes concernent les relations étroites entre santé « mentale » et santé « physique ». Nous allons nous intéresser maintenant à un programme important et permanent du cerveau : le maintien d'un poids adéquat.

Le besoin de se fier aux mécanismes innés est démontré par le problème banal posé par l'amaigrissement. Les gens, souvent, luttent contre eux-mêmes pour maigrir. C'est d'ailleurs, comme l'ont montré des études récentes, une lutte futile et inutile puisque de toute façon les humains aiment manger. La recherche de la bonne chair et du plaisir est constante dans l'histoire de l'humanité, et elle se poursuit actuellement avec la « nouvelle cuisine », les nouveaux restaurants, les nouvelles toquades culinaires. Dans leur livre *Consuming Passions : the Anthropology of Eating (Les passions dévorantes : anthropologie de la nourriture),* Peter Farb et George Armelagos font le commentaire suivant :

> Les humains peuvent avaler tout ce qui ne les avalera pas d'abord. Ils mangent toutes sortes d'animaux, de la termite à la baleine ; les Chinois de la province du Yunan mangent des crevettes qui frétillent encore, tandis que les Américains et les Européens mangent les huîtres vivantes ; certains Asiatiques préfèrent la nourriture tellement putréfiée qu'elle empeste à plusieurs dizaines de mètres de distance. Selon les périodes et les lieux, on s'est régalé et l'on se régale encore de fœtus de rongeurs, de langues d'alouettes, d'yeux de moutons, d'œufs d'anguilles, d'estomac de cachalot, de poumon de porc.

De nombreux plaisirs sont associés à la nourriture : la parfaite image d'amour et d'entente est celle d'une famille réunie autour d'un repas de fête ; on dit que pour gagner le cœur d'un homme il faut conquérir son estomac, et que certains aliments sont aphrodisiaques ; les mères juives sont bien connues pour guérir à peu près n'importe quelle petite maladie avec du bouillon de poulet.

Le plaisir apporté par la nourriture et la préoccupation naturelle due à la nécessité de la quête des aliments ont toujours obligé l'homme à s'adapter aux circonstances. A l'époque où l'approvisionnement en nourriture n'était pas assuré, ceux qui se gavaient lorsqu'il y avait suffisamment à manger avaient de meilleures chances de survie que ceux qui ne le faisaient pas. Dans le même ordre d'idées, la réalisation de travaux importants et pénibles nécessite une grande dépense d'énergie ; il faut alors fournir aux travailleurs de gros repas pour couvrir leurs besoins énergétiques. Ce n'est que récemment que le chauffage central a été généralisé dans les habitations des pays développés ; auparavant, tout au moins dans les climats tempérés, il fallait apporter aux habitants une énergie calorique qui était fournie soit par le bois de chauffage brûlé dans la cheminée ou le fourneau, soit par une chaleur interne obtenue en « brûlant » les substances ingérées, c'est-à-dire à partir de l'alimentation.

Le corps lui-même agit comme un fourneau et le cerveau fonctionne comme un thermostat. Mais si trop de combustible (trop de calories*) est ingéré, le surplus sera stocké sous forme de graisses. Ainsi il y a une prise de poids lorsque l'on ingère plus de calories que l'on n'en dépense. Cependant, perdre et prendre du poids ne se résume pas qu'à un problème de consommation calorique (comme le prétendent de nombreux livres de régime) parce que le cerveau régule le poids du corps autour d'un point d'équilibre, comme le ferait un thermostat pour la température d'une maison.

Considérons les données suivantes : au cours d'une vie, un homme mange quelque cinquante tonnes de nourriture. En comparaison, une variation de poids de cinq à dix kilogrammes et bien peu. En réalité, le poids du corps est maintenu autour d'un niveau prédéterminé, autour d'un point d'équilibre que différentes structures cérébrales s'efforcent de maintenir à peu près constant. L'hypothalamus, par exemple, peut contrôler la faim, la soif, et les niveaux métaboliques pour faire monter ou descendre les dépenses caloriques ; le seul calcul des calories ne suffit donc pas pour prévoir une augmentation ou une perte de poids.

Le fait que le cerveau contrôle étroitement le poids du corps nous permet de mieux comprendre pourquoi il est relativement aisé de maigrir au début d'un régime, alors que cela devient plus difficile vers la fin. Au début, on ne fait que commencer à s'éloigner du point d'équilibre et il n'est pas trop difficile de perdre du poids. Mais plus on maigrit, plus on s'éloigne de ce point d'équilibre et plus cela devient difficile.

Les gens qui essaient en vain de suivre un régime amaigrissant trouvent bien souvent des excuses banales ; par exemple :

« J'ai perdu des centaines de kilos dans ma vie. » (ce qui sous-entend que ces kilos ont été repris) ;

« Ce que je mange ne change rien, je suis naturellement gros. » ;

« Je peux prendre du poids rien qu'en *regardant* un bon repas. »

Ces excuses sont bien sûr des clichés, mais des arguments récents suggèrent qu'elles ne sont pas sans fondement. Cela est peut-être attristant, mais certains individus sont indiscutablement *nés* pour être obèses. La région du cerveau qui contrôle le poids du corps est simplement réglée chez certains à un niveau plus élevé que chez d'autres. Cela implique pour ces derniers une quasi-impossibilité de maigrir.

* Une calorie est une mesure de production de chaleur. Elle est définie comme la quantité d'énergie nécessaire pour accroître de 1 degré Celsius la température de 1 gramme d'eau.

Le problème des obèses constitutionnels est que leur norme organique, c'est-à-dire leur point d'équilibre, se situe au-dessus des normes courantes. L'obèse naturel n'a donc qu'une triste alternative : soit avoir toujours faim, soit être considéré comme obèse. C'est pourquoi beaucoup d'obèses ne font que perdre et regagner leurs kilos ; la plupart des régimes qu'ils essaient ne marchent pas. Ils luttent contre une puissante barrière biologique.

Cependant, il existe une consolation pour ceux qui sont condamnés à ne jamais atteindre la taille mannequin : pendant des années, il a été considéré que les personnes minces étaient en meilleure santé (ceci ressort des données des compagnies d'assurances ; les obèses paient plus cher leur contrat d'assurance-vie). Cependant, et bien que de nombreuses études aient montré que les rats qui ont faim vivent plus longtemps, il a été démontré également que les personnes qui vivent le plus longtemps ont un poids situé bien au-dessus des normes publiées. Dans tous les groupes d'âge et de taille, ceux qui sont un peu gros sont en meilleure santé ; de plus le poids idéal pour rester en bonne santé augmente avec l'âge. Notre régulation cérébrale automatique semble donc plus sage que notre idéal culturel actuel, si bien qu'être un peu trop gros n'est peut-être pas, finalement, si dramatique.

S'il est si difficile de maigrir c'est que les mécanismes cérébraux de régulation compensent immédiatement la restriction d'apports. Ceux qui ont suivi un régime se souviennent certainement qu'au bout de deux semaines, ils se sentaient souvent faibles et paresseux ; et, bien que quelques calories soient encore « brûlées », la perte de poids progressait de moins en moins. Comme nous venons de le voir, au début du régime, tant que le poids reste proche de l'équilibre, l'amaigrissement est relativement rapide. Ensuite, plus le poids chute, plus l'organisme se débat pour maintenir son équilibre, et plus la perte de poids devient lente, voire nulle. Les protections de l'organisme contre la faim font que le point d'équilibre est souvent situé bien au-dessus de ce que désire l'individu. Ainsi le poids du corps est maintenu en un juste équilibre, inconsciemment régulé par les mécanismes innés de l'encéphale.

De nombreuses histoires rapportées par des personnes qui ont survécu à des catastrophes reposent sur toutes ces données. L'histoire suivante est tirée d'événements survenus dans un camp de concentration nazi au cours de la Deuxième Guerre mondiale. Parmi leurs nombreuses et répugnantes expériences, les nazis voulaient déterminer combien de temps il fallait à un individu pour mourir de faim. Ils ont donc nourri des prisonniers avec à peine 300 calories par jour. La plupart des prisonniers sont morts en quelques jours ; mais un petit groupe a survécu. Quand les camps furent libérés, on demanda alors au chef de ce groupe comment il expliquait que ses compagnons et lui-même aient pu survivre ainsi. Il répondit : « Chaque jour, avec notre maigre repas, nous nous réunissions tous et nous discutions. Nous parlions des meilleurs repas que nous avions faits et de ceux que nous prendrions dans le futur. Nous nous imaginions en train de savourer des rôtis et des pommes de terre, des gâteaux et du vin. » Le cerveau ne se contente peut-être pas des seules informations alimentaires pour régler le poids du corps. C'est peut-être pour cette raison que le simple fait de regarder de la nourriture peut suffire à faire grossir certaines personnes ; d'ailleurs, il a été montré qu'une augmentation de la sécrétion d'insuline apparaissait chez des sujets qui regardaient un steack grésiller sur le feu ; cette sécrétion entraîne une pénétration des graisses à l'intérieur des cellules, pouvant ainsi conduire à une prise de poids.

L'implication mentale et cérébrale dans l'équilibre de notre santé pourrait être bien plus importante que ne le laissaient soupçonner nos données scientifiques voici quelques années. Voyons un dernier exemple, tiré d'une étude récente et importante. Jana Mossey et Evelyn Shapiro, de l'Université du Manitoba (Canada) étudièrent trois mille personnes âgées de 65 ans et plus. Chaque sujet attribua à sa propre santé une valeur située sur une échelle allant de « mauvaise » à « excellente ». Parallèlement, chacun d'eux était classé en fonction d'examens médicaux. Les résultats furent saisissants : ceux qui étaient objectivement de santé fragile, mais qui considéraient leur état de santé comme bon eurent des chances de survie *plus élevées* que ceux qui se considéraient en mauvaise santé alors qu'objectivement, ils étaient en bonne santé. Bien qu'il y ait de nombreuses interprétations possibles à ces faits, il apparaît clair que ce que l'on *pense* de soi-même peut permettre de dompter sa souffrance, de modifier son poids, de lutter contre la maladie et même dans certaines circonstances de survivre. A l'évidence, il y a encore beaucoup à apprendre sur l'étonnant contrôle que le cerveau exerce sur notre santé. De nouvelles découvertes pourraient changer le visage de la médecine et modifier les connaissances que nous avons de nous-mêmes.

UN PROJET CAPTIVANT POUR PETITS ET GRANDS

La construction
et la visite
d'un cerveau géant

En 1972, dans un article du Bulletin of the Los Angeles Neurological Society, *un neurochirurgien, Joseph E. Bogen, proposa de faire « une grande promenade à pied à travers le cerveau ». Il envisageait un cerveau suffisamment grand pour que les visiteurs puissent y flâner jusque dans ses coins et recoins. Il aurait ainsi été possible, en s'amusant, de découvrir facilement l'organisation interne du cerveau. En 1978, Bogen a pu diffuser sa proposition grâce à un article publié dans le magazine* Human Nature *et illustré par David Macaulay. Ce qui va suivre est une version amplifiée de cet article, qui insiste plus sur la façon dont un tel « musée » pourrait être conçu et construit, et sur ce que les visiteurs pourraient encore être amenés à découvrir au cours de leur promenade dans le labyrinthe de ce cerveau géant.*

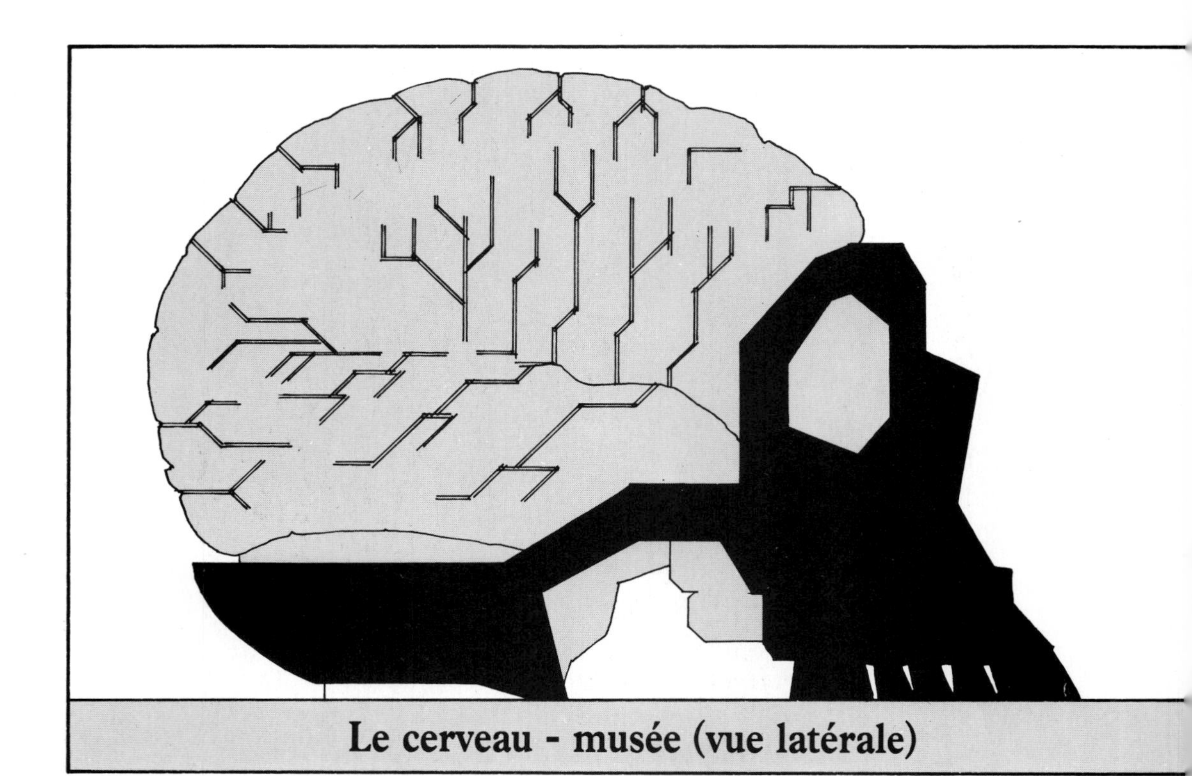

Le cerveau - musée (vue latérale)

De la base au sommet du cortex, ce cerveau géant aurait un peu plus de 170 mètres de haut et près de 120 mètres de large. Sa structure en acier et en béton aurait la forme d'une boîte crânienne. Elle le soutiendrait et le fermerait partiellement. La plupart des canalisations, tuyaux et autres câblages desservant le musée seraient placés à l'extérieur du bâtiment, tout comme le sont les artères et les veines cérébrales. Certaines des artères profondes, les plus grosses, abriteraient les escaliers et les ascenseurs.

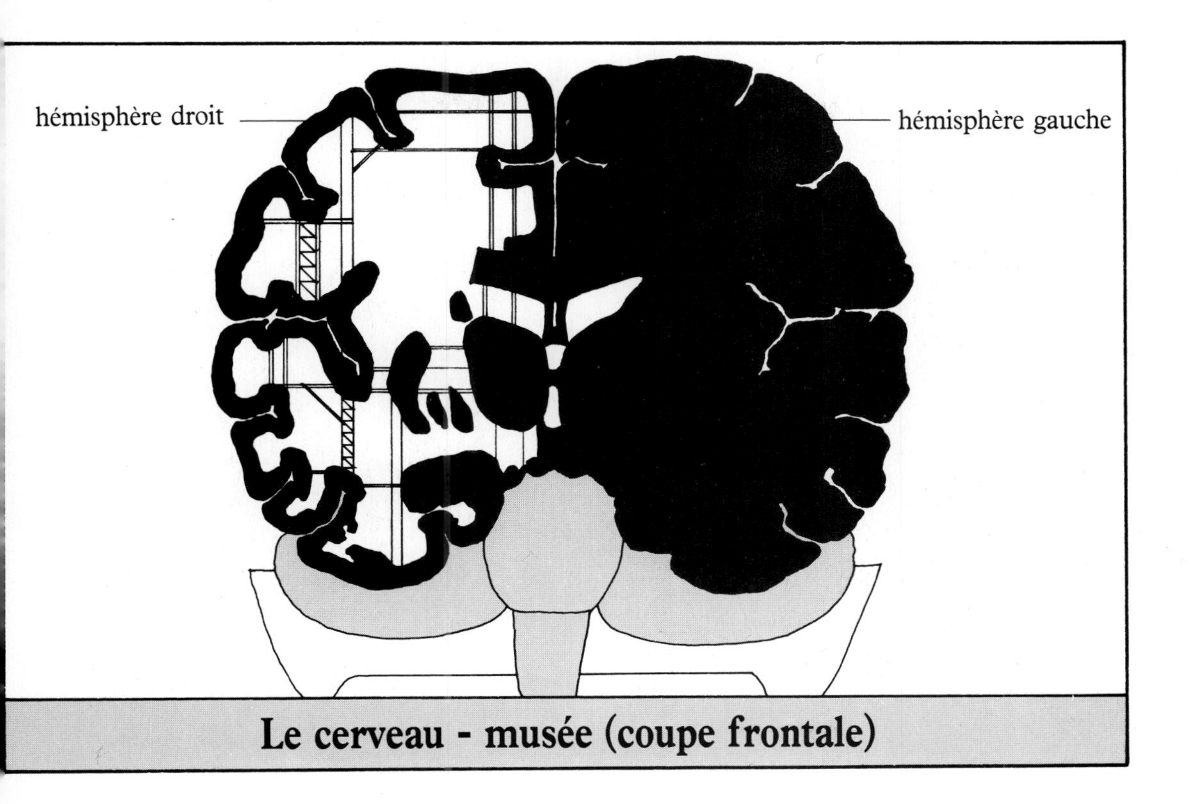

Le cerveau - musée (coupe frontale)

L'hémisphère gauche serait plein, tout comme dans un vrai cerveau, avec cependant des bureaux administratifs, des dépôts de matériel et tout en haut de luxueux appartements dont la vente ou la location couvrirait une partie des frais de fonctionnement du musée.

L'hémisphère droit serait essentiellement creux, comme si la substance blanche avait été retirée. Les visiteurs pourraient alors découvrir des structures de substance grise comme le thalamus et le noyau caudé, et mieux comprendre les relations existant entre ces structures. Dans l'espace libre situé au-dessus et autour de celles-ci, des rayons laser représenteraient les voies d'association et de projection qui relient les aires corticales des deux hémisphères.

Une fois choisi le site d'installation du musée, la construction du gros œuvre pourra commencer.

Lorsque la construction de la voûte crânienne touchera à sa fin, les travaux commenceront sur le tronc cérébral, au niveau duquel se trouvera l'entrée principale du musée. Des ascenseurs spécialement étudiés à cet effet transporteront les visiteurs depuis l'entrée du musée jusqu'à certaines salles d'exposition en leur faisant suivre le trajet des voies pyramidales (dans l'organisme, ce faisceau pyramidal va du cortex à l'extrémité inférieure de la moelle épinière ; il représente probablement la voie responsable de tous les mouvements fins). Juste derrière le tronc cérébral sera construit l'auditorium du cervelet : on pourra y assister à des conférences d'introduction et à des présentations spécialisées.

Pendant que se poursuivra la construction des éléments du système limbique et des voies visuelles, les travaux commenceront sur le cortex de l'hémisphère gauche.

Les dix-huit mois suivants verront s'élever lentement les murs des deux hémisphères, entourés d'un tissu d'échafaudages, de grues et de palans sans cesse en action.

Peu à peu la forme argentée du cerveau émergera de l'enchevêtrement des câbles et des barres métalliques. Une grande partie des échafaudages ne sera plus nécessaire ; d'immenses filets de sécurité tendus sous le niveau de construction resteront accrochés à la surface des circonvolutions. Au bout de la même année, les murs des deux hémisphères seront terminés et l'essentiel de l'activité sera alors concentré à l'intérieur de la construction.

Au bout de cinq ans de travaux, les échafaudages, le matériel de construction et les baraquements auront disparu. L'armée d'ouvriers sera remplacée par une armée plus grande encore de visiteurs.

Les ventricules

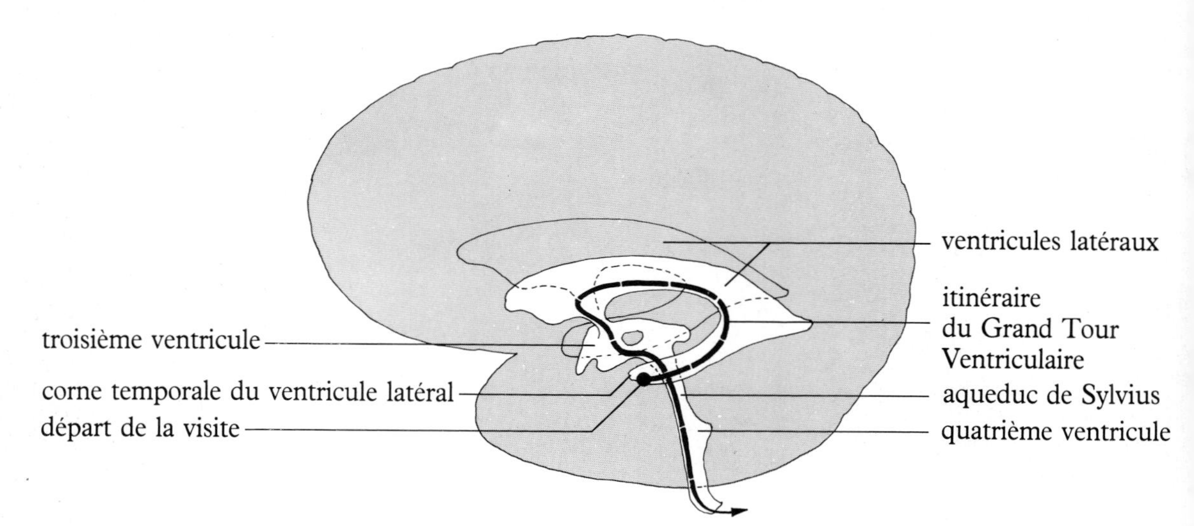

Après la conférence d'introduction dans l'auditorium du cervelet, les visiteurs pourront suivre un ou plusieurs programmes de visite. Les deux programmes les plus populaires seront certainement le « Grand Tour des Ventricules » et le « Système Visuel ». Les ventricules sont des cavités relativement grandes ; trois sont situés dans le cerveau et un dans le tronc cérébral. Les deux plus grands ventricules, appelés ventricules latéraux, sont placés symétriquement au-dessus du tronc cérébral, un dans chaque hémisphère. Dans la mesure où le ventricule latéral gauche sera complètement clos puisque construit dans un hémisphère plein, c'est par là que débutera le « Grand Tour Ventriculaire ». Les visiteurs se regrouperont tout d'abord dans la corne inférieure (temporale) du ventricule latéral. Après avoir longé l'hippocampe, le groupe de touristes arrivera dans un vaste hall, haut de dix étages, appelé atrium ou carrefour. A cet endroit, la corne ventriculaire obliquera gracieusement vers le hall et s'ouvrira dans le corps principal latéral. La montée sera fatiguante. Les touristes s'essouffleront en grimpant sur l'hippocampe ou en parcourant les curieux massifs de vaisseaux qui forment les plexus choroïdes (dans le cerveau vivant, les plexus choroïdes sécrètent le liquide céphalorachidien, lequel remplit normalement les quatre ventricules).

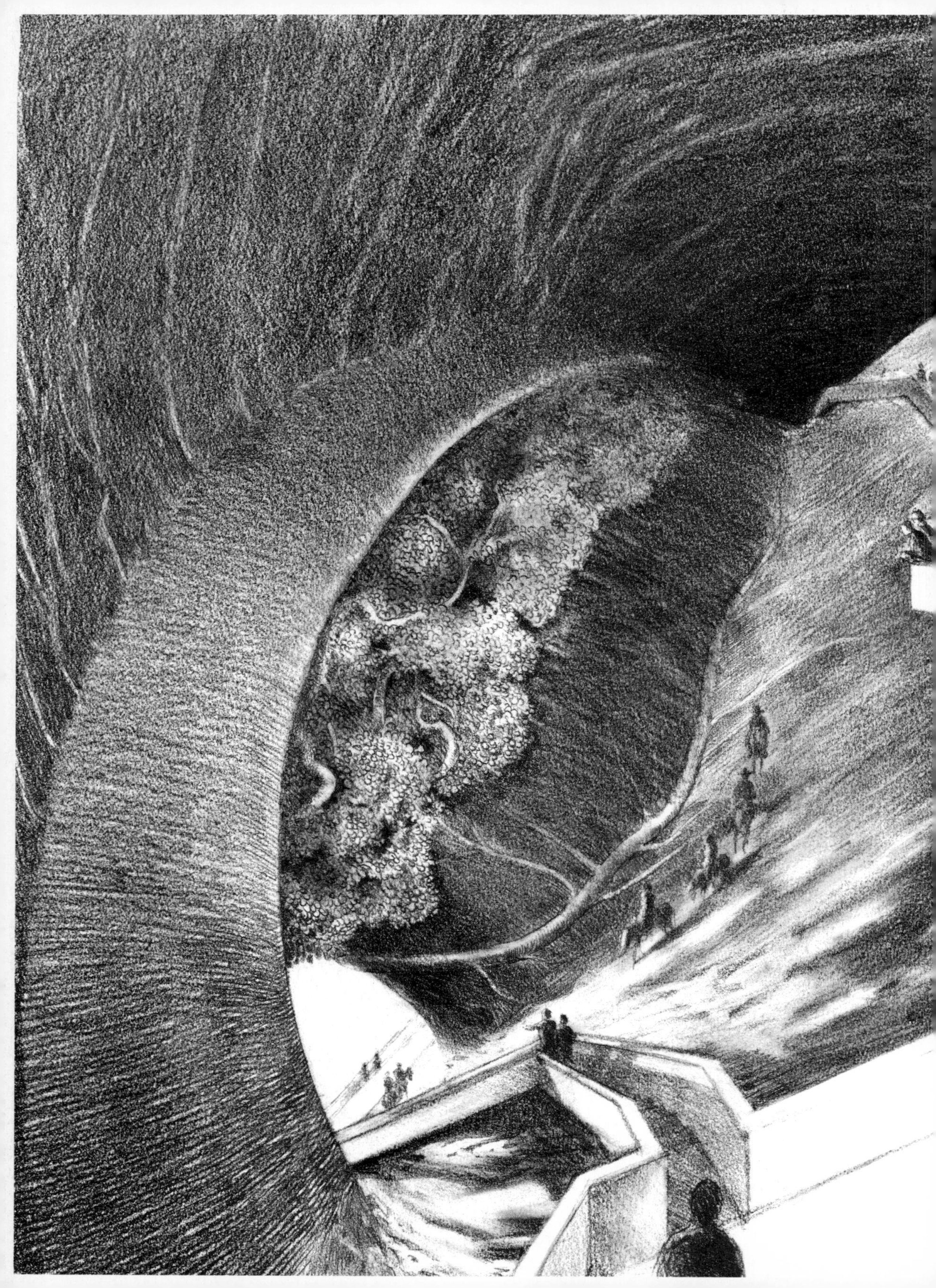

Finalement, les visiteurs entreront dans le corps du ventricule latéral qui aura à peu près la longueur d'un terrain de football. A l'extrémité antérieure du ventricule, tout le monde ira visiter le Café du Caudé, tant pour prendre un rafraîchissement que pour profiter de la merveilleuse vue. Le café sera construit dans le noyau caudé qui sert de mur extérieur au ventricule latéral. De la terrasse du Café du Caudé, les visiteurs pourront, à travers le foramen de Monro, voir plus bas le troisième ventricule dans lequel ils se rendront bientôt. Le foramen de Monro sera également traversé par le plexus choroïde et la veine cérébrale interne, alors qu'au-dessus sera tendue la grande arche du fornix qui surplombera également tout le ventricule latéral. Le plafond du ventricule latéral sera formé des fibres transversales du corps calleux, la principale connexion existant entre les deux hémisphères.

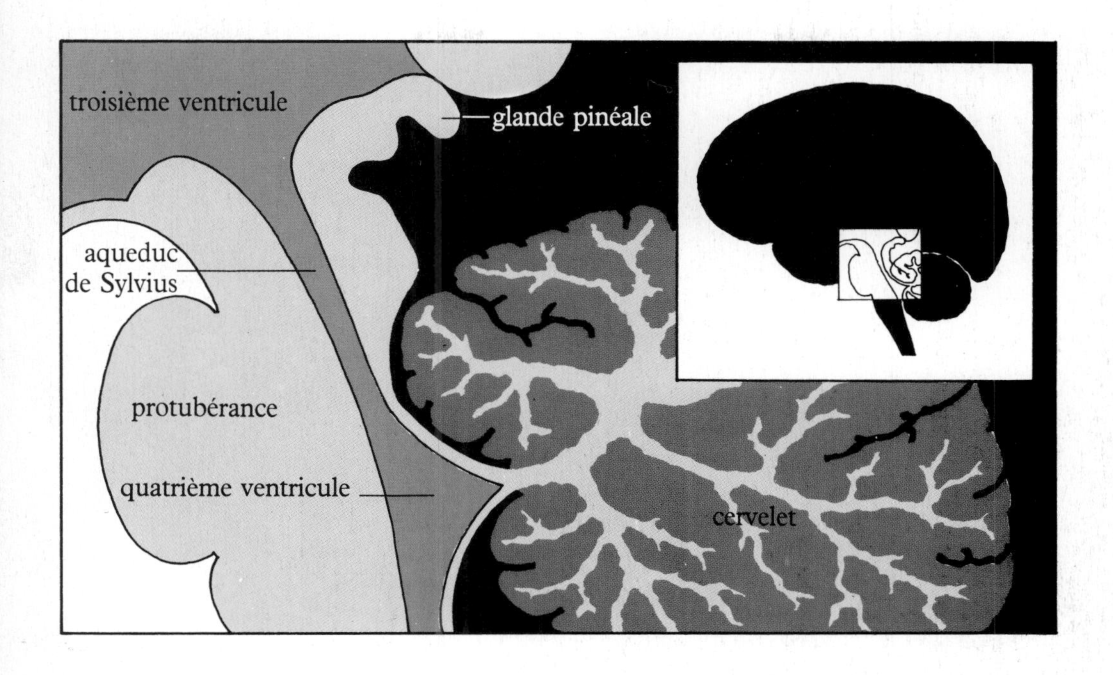

Fin du grand tour ventriculaire

Le troisième ventricule est une cavité située grossièrement au milieu du cerveau ; il communique avec l'aqueduc de Sylvius. Au-dessus de l'origine de l'aqueduc passe l'arche de la commissure postérieure, un autre faisceau de fibres reliant les deux hémisphères entre eux. Au-dessus de la commissure postérieure se trouve le récessus pinéal par lequel les visiteurs pourront entrer dans la glande pinéale ou épiphyse ; anciennement siège supposé de l'âme, sa fonction reste mystérieuse ; elle sera utilisée comme salon de détente. La massa intermedia *ou commissure grise interthalamique traversera le troisième ventricule ; c'est une autre communication interhémisphérique ne reliant cette fois-ci que les deux thalamus. Le « Grand Tour Ventriculaire » se terminera par la descente dans l'étroit aqueduc de Sylvius (qui normalement sert de passage au liquide céphalo-rachidien) et par la visite du quatrième ventricule.*

Départ du tour visuel

La visite « Système Visuel » débutera dans les yeux. Les touristes remonteront les nerfs optiques de la rétine jusqu'au chiasma. Selon celui des chemins qu'ils auront choisi dans le nerf optique, ils poursuivront leur route soit vers le thalamus situé du même côté que l'œil d'où ils seront partis, soit vers le thalamus du côté opposé. Les deux chemins mènent de toute façon au cortex visuel situé à l'arrière du cerveau.

La citerne chiasmatique vue depuis la tige pituitaire

L'autre tour, moins ambitieux, commencera par la remontée, en ascenseur, de l'artère carotide ; le premier arrêt se fera dans l'oreille interne ; puis l'ascenseur s'arrêtera sous le chiasma optique, dans l'espace appelé citerne chiasmatique. Un anévrisme de la carotide, c'est-à-dire une hernie de la paroi carotidienne, pourra être aperçu juste au-dessus de la sortie de l'ascenseur au niveau de la citerne optique.

Juste sous l'anévrisme, l'artère communicante postérieure se dirigera vers l'arrière du cerveau. Au-dessus de l'anévrisme la rampe de l'artère choroïdienne antérieure montera dans le lobe temporal. Dans la partie postérieure de la citerne, et descendant derrière le chiasma optique, on verra la tige pituitaire (tige de l'hypophyse) qui réunit l'hypothalamus et l'hypophyse (la glande pituitaire). Au-dessus de la citerne deux galeries de verre, les nerfs optiques, rejoindront les yeux.

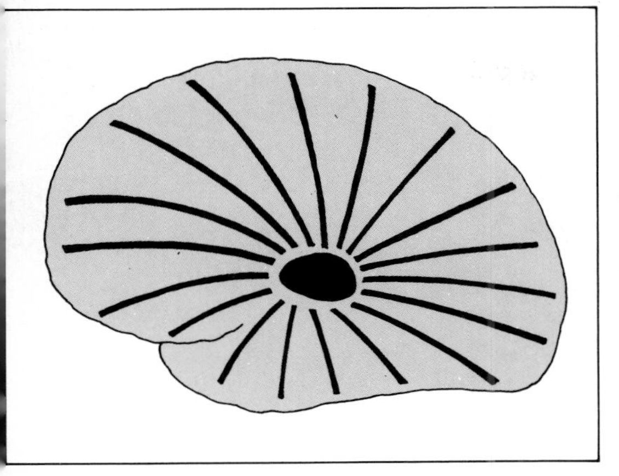

Voies de projection du thalamus au sein de chaque hémisphère

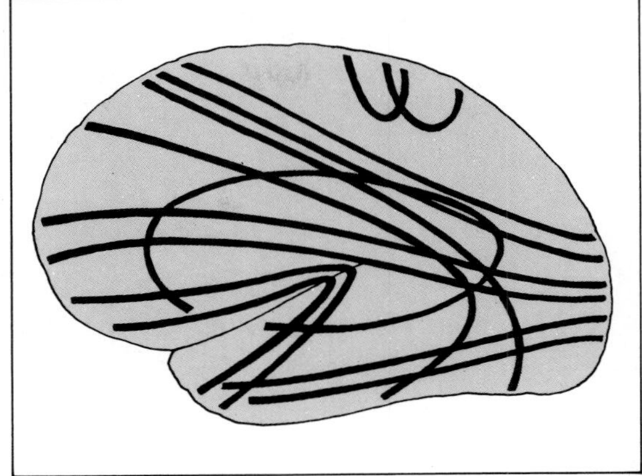

Voies d'association au sein de chaque hémisphère

A un moment donné, tous les visiteurs du musée traverseront l'hémisphère droit. Là, des rayons laser visualiseront soit des voies de projection (qui vont du thalamus à diverses régions du cortex), soit des voies d'association (qui relient plusieurs régions corticales d'un même hémisphère), soit enfin des fibres du corps calleux (qui associent les deux hémisphères droit et gauche). Cela offrira un magnifique spectacle, surtout lorsqu'on le contemplera à partir des coursives qui longeront la surface interne du cortex ou qui traverseront l'espace de l'hémisphère droit, et qui permettront de voir de plus près les structures de la substance grise.
Il y aura de nombreux autres parcours de visite et expositions tout aussi intéressants les uns que les autres dans ce cerveau géant ; en fait, il y en aura bien trop pour pouvoir tous les décrire maintenant. Nous terminerons donc en donnant un aperçu de l'un des aspects les plus insolites de ce musée.

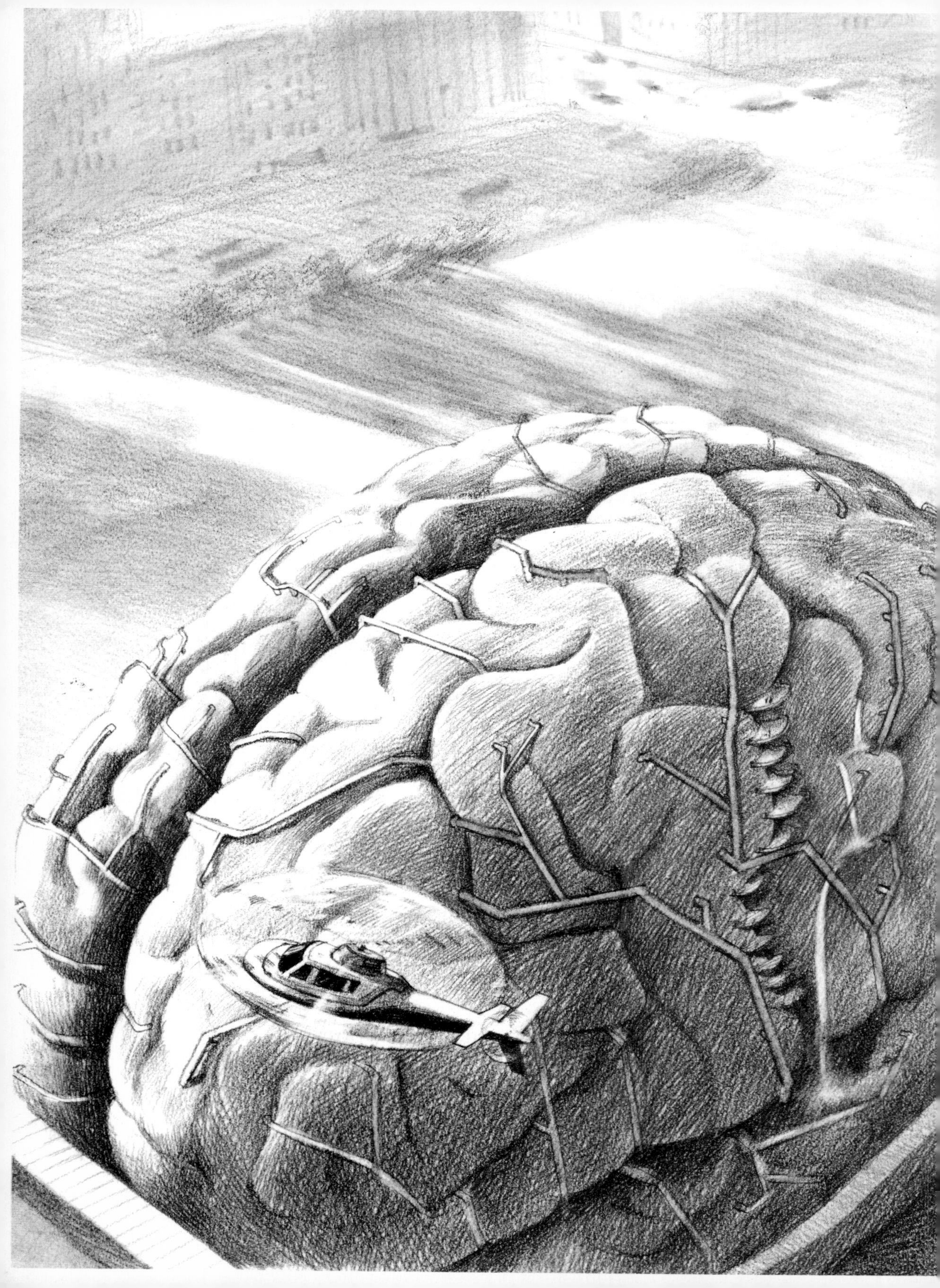

La terrasse et les appartements du cortex

Pour certains, le cerveau géant sera bien plus qu'une étape passionnante au cours d'un voyage : ce sera leur maison. Une poignée de riches individus qui n'auront pas le vertige occuperont la douzaine d'appartements luxueux nichés dans le « canyon » de la scissure de Rolando (limite entre lobe frontal et lobe pariétal). Tout au sommet du lobe pariétal gauche, coincé entre les aires corticales sensitive et motrice, existera un petit paradis : un monde d'où l'on aura une vue à vous couper le souffle, à la végétation luxuriante, où les tensions de la vie seront atténuées par le ronflement apaisant de cascades qui descendront en éclaboussant les circonvolutions pour disparaître dans la profondeur des scissures afin d'y être magiquement et sans fin recyclées.

Mais ce décor enchanteur, quarante étages au-dessus de la tête des visiteurs, n'intéressera pas la majorité d'entre eux. Les magnifiques perspectives du musée et l'incroyable assemblage de structures reliées les unes aux autres empliront tous ceux qui les verront d'admiration et de respect, et peut-être même de ce qui serait un peu plus que de la fierté : après tout, tout cela ne sera jamais que la réplique simplifiée de chacun d'entre eux.

Achevé d'imprimer
sur les presses de l'imprimerie
Arts Graphiques du Perche
28240 La Loupe

Dépôt légal mars 1987
Imprimé en France